AF796807

LO IMPORTANTE ES AMAR

Bronwyn Jameson

HARLEQUIN®

Editado por HARLEQUIN IBÉRICA, S.A.
Hermosilla, 21
28001 Madrid

© 2004 Bronwyn Turner. Todos los derechos reservados.
LO IMPORTANTE ES AMAR, Nº 1341 - 17.11.04
Título original: Beyond Control
Publicada originalmente por Silhouette® Books.

Todos los derechos están reservados incluidos los de reproducción, total o parcial. Esta edición ha sido publicada con permiso de Harlequin Enterprises II BV.
Todos los personajes de este libro son ficticios. Cualquier parecido con alguna persona, viva o muerta, es pura coincidencia.
® Harlequin, logotipo Harlequin y Harlequin Deseo son marcas registradas por Harlequin Books S.A.
® y ™ son marcas registradas por Harlequin Enterprises Limited y sus filiales, utilizadas con licencia. Las marcas que lleven ® están registradas en la Oficina Española de Patentes y Marcas y en otros países.

I.S.B.N.: 84-671-2231-5
Depósito legal: B-39626-2004
Editor responsable: Luis Pugni
Diseño cubierta: María J. Velasco Juez
Composición: M.T. Color & Diseño, S.L.
C/. Colquide, 6 - portal 2-3º H, 28230 Las Rozas (Madrid)
Fotomecánica: PREIMPRESIÓN 2000
c/. Matilde Hernández, 34. 28019 Madrid
Impresión y encuadernación: LITOGRAFÍA ROSÉS, S.A.
c/. Energía, 11. 08850 Gavá (Barcelona)
Fecha impresion para Argentina:14.9.05
Distribuidor exclusivo para España: LOGISTA
Distribuidor para México: CODIPLYRSA
Distribuidores para Argentina: interior, BERTRAN, S.A.C. Vélez Sársfield, 1950. Cap. Fed./ Buenos Aires y Gran Buenos Aires, VACCARO SÁNCHEZ y Cía, S.A.
Distribuidor para Chile: DISTRIBUIDORA ALFA, S.A.

Capítulo Uno

Si Kree O'Sullivan tuviera que imaginar al hombre perfecto, sería muy parecido al hombre que estaba en el jardín de su casa... preferiblemente sin el traje de chaqueta y la corbata. Kree cerró los ojos un momento y cuando los abrió de nuevo, el hombre seguía allí.

No era una visión, era real.

¿Qué hacía aquel hombre en el jardín que conectaba su casa con el salón de belleza? Enmarcado por unos rododendros parecía completamente fuera de lugar.

¿Sería del banco?

No, alguien del banco no iría por allí un viernes a las seis de la tarde sólo para decir que tenía la cuenta en números rojos. Ellos simplemente llamarían por teléfono.

Además, tenía una cita en el banco el lunes a las nueve de la mañana.

Y aunque hubieran enviado a alguien, no sería un tipo como aquel. Kree lo observó levantar la mirada, como inspeccionando el piso de arriba...

–No es del banco –murmuró, llevándose una mano al corazón. Pelo oscuro, ojos oscuros, traje oscuro. Parecía un abogado de la tele. O uno de esos ejecutivos millonarios.

Pero no podía ser. ¿Qué iba a hacer un ejecutivo millonario en un pueblo diminuto como Plenty, Australia? De vez en cuando veían pasar alguno en su descapotable con dirección a los viñedos, pero Kree apostaría sus nuevas botas de falsa piel de serpiente a que su visitante no estaba allí por casualidad. Tenía todo el aspecto de saber dónde estaba y lo que quería.

–¿Qué te trae a mi casa, guapo? –murmuró.

Lo mejor sería preguntárselo directamente.

El extraño se dio la vuelta al oír el crujido de la puerta...

Y cuando clavó sus ojos en ella, Kree tuvo que tragar saliva. Era guapísimo. Pómulos altos, mentón cuadrado... aquel hombre tenía una cara que haría que una estilista llorase de alegría.

Pero fue su cuerpo, no su ojo de estilista, lo que respondió inmediatamente a esos ojos negros como la noche. Fue su corazón de mujer el que dio un salto.

–Hola –dijo, cuando encontró su voz.

–¿Quiere algo?

Tenía acento británico, pensó Kree, antes de pensar que era ella quien debería haber hecho esa pregunta.

–¿Que si quiero algo? Podría empezar por decirme qué hace en mi jardín.

–¿Su jardín? –repitió el extraño.

Kree se asustó.

–No será usted el nuevo propietario, ¿verdad?

–No.

–Ah, menos mal. Me llamo Kree O'Sullivan, por cierto –Kree iba a ofrecerle su mano, pero decidió limitarse a una sonrisa–. Soy la propietaria del salón de belleza.

–¿Ah, sí? –sonrió él, irónico, mirando su pelo.

Kree se puso colorada. Pero no entendía por qué le preocupaba tanto la opinión de aquel extraño.

–Pues sí. Y no me ha dicho su nombre...

–Sinclair.

–¿Sinclair? ¿Nada más?

–Sebastian Sinclair.

Afortunadamente, Sebastian Sinclair no parecía tener intención de estrechar su mano.

–Pensé que ya habría cerrado. No quería molestarla.

–¿No cree que un hombre extraño en mi jardín debería molestarme?

–¿Le parezco extraño? –sonrió él, levantando una ceja.

Sí, definitivamente, le parecía extraño. Y peligroso.

–No lo conozco, de modo que es un extraño. Y no entiendo qué hace aquí.

–He venido a inspeccionar la casa en nombre del propietario.

«En nombre del propietario». El heredero de Allan Heaslip que, además de aquella casa, había heredado varios locales en el pueblo.

–Espero que la propietaria no sea Claire Heaslip.

–No.

Kree suspiró, aliviada.

–Ya me imaginaba, pero con esas cosas nunca se sabe. Entonces, ¿quién es el misterioso heredero? Todo el mundo está deseando saberlo.

–¿Todo el mundo?

–Ya sabe cómo son los pueblos pequeños. Todos se meten en la vida de todos –suspiró Kree–. Oiga, Sebastian Sinclair, ¿siempre es tan difícil sacarle algo?

–Me temo que sí.

Ella soltó una carcajada.

–Muy gracioso, Sebastian... ¿o debo llamarte Seb?

–Puedes llamarme Seb. Pero no suelo ser gracioso.

Kree tuvo que sonreír. Al menos, tenía sentido del humor. Eso era muy atractivo... él era muy atractivo. Pero se le encogió el estómago al ver sus ojos de cerca; porque no eran negros sino azul oscuro, muy oscuro.

–Seb no está mal. Sebastian es un nombre demasiado formal, ¿no te parece?

–¿Y tu nombre? También es un poco raro.

–Me llamo Kree, lo creas o no. No sé de dónde viene, la verdad... mis padres seguramente se equivocaron al escribirlo en el registro. Oye, has dicho que estabas inspeccionando la propiedad. ¿Para qué? ¿Para venderla?

–No. Esta propiedad no se va a vender.

Ah, muy bien. Auténtica información.

–Pero sigues sin contarme nada. ¿Eres abogado?

–Soy albacea.

«Albacea». ¿Qué demonios significaba eso? Kree dejó escapar un suspiro de irritación mientras observaba a «Don Enigmático».

–Si el nuevo propietario no piensa vender, ¿crees que invertirá algo en el mantenimiento? Porque esta casa está que se cae. Y eso que este es el edificio más antiguo del pueblo. Antes fue un banco...

–¿Por dentro está igual de mal?

–Lo estaría si no la hubiese pintado yo misma. Tuve que hacerlo para poder meter a un inquilino.

–Según el contrato, tú eres la inquilina.

–Sí, bueno, pero es que luego me ofrecieron la oportunidad de cuidar la casa de unos amigos que están de viaje... Esa de ahí –dijo Kree, señalando la casa de al lado–. ¿Por qué iba a desaprovechar la oportunidad de vivir gratis en una casa mucho más nueva que esta?

El hombre levantó una ceja, muy serio.

–Entonces, ¿la casa está vacía?

–Sí, pero...

–¿Está amueblada?

El pulso de Kree se aceleró.

–¿Por qué lo preguntas? ¿Quieres verla?

–¿Te importaría?

–No, no...

¿Qué iba a decirle, que la ponía nerviosa, que no quería estar a solas con él?

Era una respuesta irracional y lo sabía. Además, si no le importaba que James viera su casa, ¿por qué iba a importarle que la viera Sebastian Sinclair? Debía ser un abogado de Sidney y seguramente podría ayudarla a convencer al dueño para que hiciese las reparaciones necesarias.

–De todas formas, estaba esperando a un amigo para enseñársela...

Seb la observó sacar una llave del bolsillo. Tardó unos segundos porque los vaqueros que llevaba le quedaban muy ajustados. Ningún hombre podría dejar de fijarse en eso... en eso y en su pelo. Y en sus labios. Seb tuvo que sonreír. Parecía muy cándida, muy inocente.

–Llevo siglos intentando que Paul me cambie la cerradura. Se engancha y... ah, ya está.

Seb había pasado la tarde con Paul Dedini... cuando por fin consiguió que se levantara, después de una noche de juerga. Eso confirmó sus peores sospechas: el hombre que dirigía la Inmobiliaria Heaslip era un irresponsable y había que despedirlo. Inmediatamente.

No iba a ser fácil poner en orden la empresa que su hija había heredado en Plenty y tendría que quedarse por allí durante algún tiempo. No le molestaba, al contrario; era el tipo de reto que le gustaba. Pero pasar varias semanas en Plenty, lejos de su empresa, era un inconveniente... y encontrar de inmediato una casa amueblada haría las cosas mucho más fáciles.

Seb observó los techos altos y los suelos de madera brillante, antes de mirar la escalera...

o, más bien, el trasero de Kree O'Sullivan subiendo por la escalera.

Tenía que pasar varias semanas en Plenty; varias semanas alejado de sus obligaciones. Y quizá no iba a ser tan aburrido como pensaba.

Diez minutos después, Seb hizo una mueca de horror.

Se le debería haber ocurrido que una chica de pelo naranja, vaqueros con lentejuelas y camiseta ajustada decoraría su casa como se decoraba a sí misma. Las habitaciones estaban pintadas de colores y los muebles, cada uno de un estilo, parecían comprados en algún mercadillo.

–¿Desde cuándo vives aquí?

–He vivido en Plenty casi toda mi vida –contestó ella–. Tenía siete años cuando llegué aquí. Antes vivíamos en la furgoneta de mi padre... pero se le estropeó cuando llegamos a Plenty, así que decidió que nos quedáramos.

–¿Aquí, en esta casa?

–No, no... me refiero al pueblo. Sólo llevo un año en esta casa. Antes compartía un apartamento con mi amiga Julia, pero se casó con mi hermano y... bueno, ya estoy como siempre dando demasiada información.

–Qué va, me parece fascinante –sonrió él. En realidad, todo en Kree O'Sullivan le parecía fascinante. Y ciertas partes de su cuerpo empezaban a crecer sólo con mirarla.

–Este es el dormitorio principal –siguió ella, abriendo las cortinas.

Seb no le prestaba atención a sus palabras, sino a la cama que había en medio de la habitación; una cama enorme con cabecero de bronce.

La cama de Kree.

Cuando levantó la mirada, ella estaba observándolo con una expresión rara. Pero enseguida se aclaró la garganta y siguió con las explicaciones:

–La encontré en una tienda de antigüedades y la compré porque pegaba.

–Ya.

¿Con qué pegaba?, se preguntó él. ¿Con las molduras del techo o con sus noches de sexo salvaje?

–Ahora vivo ahí, mira –dijo Kree entonces, acercándose a la ventana–. Es la casa de unos amigos que se han ido de tournée por Europa con una compañía de teatro. El jardín está un poco descuidado...

–¿Hay animales salvajes? –sonrió Seb.

–Sólo Gizmo, el gato. Al principio le alquilaron la casa a una pareja europea, pero no podían dormir.

–¿Por el tráfico? –bromeó él.

–No, por el silencio –contestó Kree, apoyándose en la cómoda.

A Seb le parecía irresistible. Con aquella boca grande, demasiado grande quizá para una carita tan pequeña, resultaba muy tentadora. Tanto que...

Sin pensar, levantó una mano para acariciar su pelo.

–¿Qué haces?

–Nada... es que tenías un bicho.

–¿Qué? –exclamó Kree, echándose hacia atrás–. ¡Ay! –gritó, al golpearse el codo con la cómoda–. ¿Dónde está el bicho?

–Ya se ha ido.

En ese momento, empezó a sonar un móvil.

–¿No vas a contestar? –preguntó Kree–. Yo... te espero en la otra habitación.

Seb apretó los dientes al ver quién llamaba. Una reacción pavloviana. Hablar con su hija de catorce años siempre lo hacía reaccionar así.

–¿Papá? Soy Torie.

–¿Dónde estabas cuando llamé antes?

–En casa de Jesse.

–¿No te dije que fueras a casa después del colegio? Tienes que hacer la maleta y...

–No hace falta...

–¿Cómo que no hace falta? Tengo que saber dónde estás. La señora Craig siempre tiene que saber dónde estás.

–Lo que iba a decir es que no tengo que hacer la maleta.

–¿Por qué? ¿Ha llamado tu madre?

–Claro –suspiró Torie–. Se va a Inglaterra, así que tenemos que hacer nuevos planes para mis vacaciones.

Seb apretó el teléfono, furioso. Odiaba esas conversaciones. Y odiaba la falta de control que tenía sobre la vida de su hija. Claire, naturalmente, no veía ningún problema en cambiar de planes cuando le convenía.

«Victoria lo entenderá», solía decir.

–Lo siento, cariño –suspiró Seb–. La llamaré esta noche.

–Me da igual si no paso las vacaciones con ella.

–Tienes que hacerlo, cielo.

–Ya, bueno... ¿Y mientras tanto qué?

–Podrías pasar unos días echándole un vistazo a tu herencia –sugirió Seb.

–¿Hay bichos en ese pueblo?

Él soltó una carcajada.

–¿Te he contado que el viejo banco ya no es un banco? Ahora es un salón de belleza.

–¿En serio?

–Sí. Oficialmente, eres la propietaria de un salón de belleza.

–De esos en los que las señoras se ponen el pelo violeta, ¿no?

–Por supuesto. La propietaria lleva el pelo de color violeta y zapatos ortopédicos.

Un cambio de escenario le iría bien, pensó Seb. Y, sobre todo, le iría bien alejarla de esos amigos tan pijos.

–Tengo que colgar, papá. La señora Craig ya tiene lista la cena.

–No llegaré a casa antes de las once, así que...

No terminó la frase porque Torie ya había colgado. No porque tuviera prisa por cenar, sino porque poner a prueba la paciencia de su padre se había convertido en su razón de existir. Torie... que antes era una niña seria y considerada, a pesar del divorcio. Y a pesar de que su madre siempre lo ponía todo patas arriba.

Claire siempre había pensado primero en ella misma, luego en su amante de turno y, más tarde, en su hija.

Había invitado a Torie a pasar el mes de diciembre en su casa de la playa, pero a última hora y como era su costumbre, cambió de planes.

De modo que tenía dos semanas más con

Torie, pensó. Se acabaron sus planes de probar esa cama con la peluquera. Una pena, pero su hija merecía cualquier sacrificio.

Suspirando, Seb guardó el teléfono y fue a echarle un vistazo al otro dormitorio.

No era una casa perfecta, pero serviría. De hecho, cuanto más lo pensaba, más le gustaba la idea. Pero habría que pintarla, claro. De blanco.

Desde la terraza del salón podía ver la calle principal de Plenty. Y, frente a él, la oficina en la que iba a trabajar...

Kree O'Sullivan estaba sentada en el pretil de la terraza, saludando a alguien. Y, al inclinarse, vio que tenía un tatuaje en la cintura: un dragón.

Seb dejó escapar un suspiro. Aquella chica era una tentación. Y su estilo, tan desenfadado, sería una tentación para Torie.

En cuanto viese el tatuaje, se volvería loca y querría hacerse otro...

Como si hubiera intuido su presencia, Kree se volvió, sonriendo. Una sonrisa que le hacía pensar con una parte de su cuerpo que no era la cabeza.

–¿Ya lo has visto todo? No quiero meterte prisa, pero James está a punto de llegar.

–¿James?

–El chico que quiere alquilar la casa.

–¿Vas a alquilarle la casa a ese James?

–Eso espero. Me vendría muy bien el dinero... –en ese momento sonó el timbre–. Ah, ahí está. ¡Ya voy! Oye, ¿te importaría marcharte? Es que quiero enseñarle la casa.

–No hace falta.

–¿Cómo?

–Que quiero alquilarla y no tengo intención de compartirla con tu amigo –contestó Seb.

Capítulo Dos

Kree miró alrededor, esperando que la señora de la permanente estuviera en el servicio.

–¿Dónde está la señora de las diez y media? ¿Ha llamado?

Mae–Lin negó con la cabeza.

Las clientas nunca llamaban para cancelar una cita. Sencillamente no aparecían, pensó Kree, tirando las llaves y un montón de papeles del banco sobre la mesa.

–¿Qué tal te ha ido en el banco? –preguntó su ayudante.

–Bien. Pero tengo que cumplimentar un millón de papeles.

–¿Quieres que te traiga un café?

–Sí, gracias. Y tráeme algo de chocolate. Esta mañana no he tenido tiempo de desayunar.

–¿Quieres que pase por la oficina de Correos para ver si han llegado los productos que pedimos?

–Sí, gracias.

Cuando Mae–Lin desapareció, Kree enterró la cabeza entre las manos. La idea de que el banco le negase el préstamo era sencillamente aterradora. Y ver vacío el salón de belleza la desesperaba.

La nueva peluquería de Plenty estaba llena por una sola razón: porque era más barata. Y era más barata porque la propietaria no tenía ni idea. Kree estaba segura de que las clientas se darían cuenta de su error y volverían a su salón de belleza... si pudiera aguantar un mes o dos.

Un golpecito en la ventana hizo que levantara la cabeza.

–¡Julia!

Kree se levantó de un salto para abrazar a su amiga y cuñada.

–No sabía que volveríais tan pronto. ¿Qué tal las vacaciones? ¿Qué tal está mi sobrina? ¡Estás guapísima!

Riendo, Julia se dejó caer sobre una silla.

–Espera un momento, me estás mareando... O a lo mejor es tu pelo. ¡Qué color! ¿Mae–Lin ha estado practicando con los tintes otra vez?

–Tiene que aprender de alguna forma... Pero olvídate de mi pelo. ¿Qué tal está Zane? ¿Y mi sobrina?

–Encantados de volver a casa –sonrió Julia, mirando alrededor–. ¿El negocio sigue igual?

–Igual –suspiró Kree.

–Si necesitas...

–No, gracias.

–¿Por qué no quieres aceptar mi ayuda? Soy tu cuñada.

–No necesito nada, de verdad.

El garaje de su hermano iba bien, pero tenían una niña pequeña. No podía pedirles dinero. Además, ella quería levantar su salón de belleza solita. No quería caridad.

–Muy bien, como quieras. Pero cuéntame cómo va todo. ¿James se ha mudado a tu casa?

Kree dejó escapar un largo suspiro.

–¿Qué pasa?

–Sebastian Sinclair.

–¿Quién es Sebastian Sinclair?

–Es de Sidney. Un ejecutivo. De esos que llevan unos trajes de chaqueta que valen lo que yo gano en un mes. Y encima es guapísimo...

–¿Pero quién es?

–Es un poco frío...

–¿Quién es, Kree?

–Y yo qué sé. Apareció por aquí el viernes. Lo vi en el jardín, mirando alrededor...

–¿Estaba inspeccionando la casa?

–Algo así. Dijo ser un albacea de la inmobiliaria Heaslip. Ah, por cierto, Claire no ha heredado nada.

–¡Dios existe! –exclamó Julia–. Entonces, ¿quién es el afortunado?

–No me lo ha dicho. Le pregunté directamente, pero es de los que saben esquivar una pregunta. Bueno, el caso es que quiso ver la casa...

–Y le dio un infarto al ver la mezcla de colores.

–No, tonta –rió Kree–. Todo lo contrario, decidió alquilarla.

–Ah, muy bien. O sea, que va a vivir en Plenty.

–No sé cuánto tiempo va a quedarse, la verdad. Yo estaba demasiado ocupada diciéndole que James quería alquilar mi casa y él diciéndome que no podía subarrendarla.

–Ah.

–Sí, ah. Pero yo le dije algo más que eso.

–Ya me imagino. ¿Y qué pasó?

–Que James oyó la bronca y... bueno, no puedes imaginarte la que se armó. El caso es que Seb se marchó y no hemos vuelto a hablar.

–No entiendo hada. ¿Te ha alquilado la casa o no?

–Sí, pero se limitó a decir que estaríamos en contacto. ¿Qué hago, Julia?

–Supongo que esperar a que te llame.

–Menudo consejo... ya sabes que yo no tengo paciencia –suspiró Kree–. No sé qué piensa hacer y encima James no deja de darme la lata para que le dé una respuesta.

–¿Por qué no lo llamas tú?

–No hemos intercambiado los números de teléfono precisamente.

–Y para eso Dios inventó la guía telefónica –sonrió Julia–. En fin, tengo que irme. He dejado a Bridie con la señora H. para ir a la compra.

–Dale un beso de mi parte. A Bridie quiero decir, no a tu vecina.

Riendo, Julia se acercó a la puerta, pero se volvió antes de salir.

–¿Sabes una cosa? Estoy deseando conocer a ese tal Sebastian Sinclair. Tiene que ser tremendo para haberte puesto tan nerviosa.

–Tremendo, desde luego –suspiró Kree. Tremendo, fastidioso, molesto, intrigante... definitivamente no era hombre para ella–. Pero lo último que necesito es otro hombre que me vuelva loca y que luego no me respete por la mañana.

–¿Y sabes todo eso después de haberlo visto solamente una vez?

–Créeme, Julia, sé cómo me miraba.

–No todos son como Tagg.

No, no todos eran como su ex, pero Kree no tenía intención de reemplazarlo.

–Deberías llamarlo.

–Ya te he dicho que no tengo su teléfono.

Mae-Lin entraba en ese momento con una caja en la mano.

-¡Vaya, menudo paquete! Espero que sea una guía telefónica.

Julia salió riendo del salón.

-¿Qué ha querido decir? -preguntó Mae-Lin.

-Nada, era una broma -suspiró Kree, abriendo el paquete-¡Otra vez! -exclamó al ver que, de nuevo, le habían enviado una crema suavizante que no había pedido-. ¿Esta gente es idiota o qué les pasa?

-Deberías echarles una bronca -dijo su ayudante.

-Y eso es lo que pienso hacer.

-¿Vas a ir a Sidney?

-¿Por qué no? Quejarme por teléfono no ha servido de nada.

-¿Te vas ahora mismo? -preguntó Mae-Lin, perpleja.

-Tengo que ir ahora que estoy cabreada. Llama a Tina y dile que venga a ayudarte. Si ella no puede, llama a Heather... Tenemos una guía de Sidney en la trastienda, ¿verdad?

-Sí. ¿Por qué?

-Porque quiero que busques el teléfono de Sebastian Sinclair. Si lo encuentras, mándame un mensaje al móvil.

-¿Y si no lo encuentro?

Kree se encogió de hombros.

–Entonces pensaré que es una señal del cielo para que no me ponga en contacto con él.

–Ah, y una cosa más...

Cuando su secretaria hizo una pausa, Seb levantó la mirada del ordenador.

–¿Sí?

–Ha llamado una tal Kree O'Sullivan. Quiere verlo...

–¿Está en Sidney?

–Eso parece –contestó Marilyn, mirando su cuaderno–. Quería venir a partir de las tres, si es posible.

–¿Ha dicho para qué?

–La verdad es que dijo muchas cosas, pero hablaba muy deprisa. Y cuando le dije que estaba usted en una reunión, insistió en verlo.

Había insistido en verlo... Qué curioso. También era insistente el recuerdo de aquella chica. Tan insistente como la respuesta de su cuerpo cuando pensaba en ella.

–¿Ha dejado un número de teléfono? –preguntó Seb, irritado consigo mismo. Irritado porque había decidido que su única relación con Kree O'Sullivan sería la de inquilino y casera. Irritado porque había pensado en ella demasiado desde el viernes...

–Sí, ha dejado un número de móvil.

–Dile que puedo verla quince minutos a las cuatro.

–¿Algo más?

–Sí. Que no llegue tarde.

Llegaba cuarenta minutos tarde. Seb ni siquiera tuvo que mirar el reloj. Cuarenta minutos tarde. Era el colmo.

Muy bien, le había dado una oportunidad. La fiesta de fin de curso de Torie empezaba en una hora y, al contrario que su madre el año anterior, él pensaba llegar a tiempo.

Si Kree O'Sullivan quería verlo, tendría que esperar.

Furioso, entró en el lavabo para cambiarse de camisa y, cuando volvió al despacho... se encontró con Kree.

Vestida de negro, con el pelo... ya no era naranja sino rojo, con una faldita corta, cortísima. Y unas piernas bronceadas que parecían suplicar la caricia de un hombre.

Estaba de espaldas, mirando el puerto de Sidney desde la ventana. Tenía las manos apoyadas en el cristal y vio que no llevaba anillos ni las uñas pintadas. Absurdamente, eso le pareció muy erótico.

–¿Sueles entrar en el despacho de la gente sin avisar?

Ella se volvió, sorprendida.

–Llamé a la puerta, pero debías estar ocupado... poniéndote la camisa, veo.

–Creo recordar que habíamos quedado a las cuatro. Y, lo siento, pero tengo una cita al otro lado de la ciudad en menos de una hora –dijo Seb entonces, mirando el reloj.

–Pero no puedo marcharme. Después de haber venido hasta aquí...

–¿Has venido a Sidney sólo para verme?

–Sí, bueno... Tenía que cambiar unos productos de belleza, pero me metí en un atasco y... ¿Por qué hay tantas calles de una sola dirección en esta ciudad?

–¿Querías verme para hablar del tráfico?

–No, he venido porque el viernes me dejaste colgada.

–Dije que te llamaría.

–La cuestión es cuándo. Me temo que no se me da bien esperar.

–Ya veo.

Sus ojos se encontraron entonces y saltaron chispas. Kree tuvo la impresión de que la estaba acariciando...

–No sabía que fueras a hacerme un numerito –dijo, intentando bromear–. De haberlo sabido, me habría saltado unos cuanto semáforos.

Estaba riéndose de él, pensó Seb. Pero su cuerpo no parecía saberlo. No, reaccionaba como si ella lo hubiese acariciado con esas manitas sin anillos. Pero se negaba a dejarse vencer por un deseo tan primario.

–Llámame mañana –dijo, poniéndose la chaqueta.

–¿Para qué? ¿Para que tu secretaria me diga que estás en una reunión? No, gracias. Estoy aquí y quiero que respondas a algunas preguntas. Sólo necesito cinco minutos y si tengo que tirarte encima de la mesa...

Dada la situación corporal de Seb en aquel momento quizá no iba a durarle ni cinco minutos. Pensó en decírselo, pensó en soltárselo para ver cómo reaccionaba: «Quítese la falda, señorita O'Sullivan y puede tumbarme donde quiera».

Pero entonces ella le puso una mano en el brazo y Seb se sintió como un neandertal. Primitivo y salvaje.

No, aquello no iba a funcionar.

–Puedes acompañarme al coche si quieres. Pero sólo tardaremos cinco minutos, así que sugiero que empieces a hacer preguntas.

–Muy bien. ¿Para quién trabajas exactamente?

–No trabajo para nadie.

–Ya, bueno, ¿a qué se dedican Sebastian Sinclair y Asociados?

–Riesgos financieros.

–¿Y eso qué es?

–Desarrollamos estrategias de mercado. Sobre todo en el campo de la medicina preventiva.

–Ah –murmuró Kree–. No lo entiendo, pero... no pareces un contable.

–Porque no lo soy.

Cuando Seb intentó explicarle cuál era su trabajo, ella lo detuvo.

–Déjalo, es demasiado complicado y no quiero perder el tiempo. Lo que quiero saber era cuál es tu relación con la empresa Heaslip.

–¿Siempre eres tan sincera? –sonrió Seb.

–Absolutamente. ¿Tú siempre eres tan cauto?

–Siempre. Controlar riesgos es mi trabajo.

–Ah, ya entiendo –sonrió Kree. Al caminar, su blusa se abría un poco y Seb pudo ver algo de encaje rosa...

Y tuvo que aclararse la garganta.

–¿Qué riesgos vas a controlar en Plenty?

–El riesgo de que Heaslip vaya a la quiebra.

–¿Vas a trabajar en la inmobiliaria?

–Sí. ¿Alguna pregunta más?

–Sí, sobre la casa...

–Torie y yo nos mudaremos este fin de semana.

–¿Torie?

–Es mi hija. ¿Algún problema?

Kree negó con la cabeza.

–No, es que... pensé que no estabas casado.

–Ya no lo estoy.

Y pensaba seguir así. Su matrimonio con Claire había sido un desastre de principio a fin. Se alegraba de tener a Torie, naturalmente, pero nunca volvería a atarse a una mujer. No tenía necesidad, ni deseo, ni intención de volver a casarse.

Capítulo Tres

–¿Dónde has aparcado?

Kree lo miró sin entender. Aquel hombre la ponía nerviosa. Muy nerviosa. Con sus facultades mentales fijas en un padre soltero que estaba para comérselo, ni siquiera se había dado cuenta de que el ascensor los había llevado directamente al garaje del edificio.

¿Cuántos años tendría su hija? ¿Sería tan seria como él? ¿Dejaría manchas de chocolate en sus impolutas camisas blancas?

–¿Eh?

–Tu coche, ¿dónde lo has aparcado?

–A un par de calles de aquí.

–¿En qué calle?

–Creo que se llama Captain Bligh Lane.

–Eso está a diez manzanas de aquí.

–¿Ah, sí? Pues a mí me han parecido veinte –suspiró Kree.

–Venga, sube al coche. Te llevaré en un momento.

Ella iba a decir que no, pero cuando Seb señaló un Jaguar negro se quedó de piedra.

¿Desde cuándo un guapísimo papá soltero tenía un Jaguar?

–¿Este es tu coche?

–¿Algún problema?

–No, no, ninguno.

–El cinturón –dijo Seb.

–Qué bien huele aquí.

–Es que Torie ha tirado mi colonia esta mañana.

Kree imaginó a una niña de la edad de su sobrina muerta de risa mientras tiraba la colonia de su papá por los asientos de piel.

–Puedo bajar la ventanilla si te molesta.

–No, no me molesta en absoluto. ¿Cómo es que tienes un Jaguar?

–Porque es una buena inversión.

–¡Qué tontería! Nadie se compra un Jaguar por una razón tan absurda.

Seb la miró, perplejo. ¿Aquella chica siempre decía lo que pensaba?

–También lo compré porque es muy seguro en carretera.

–Sí, claro, supongo que es estupendo cuando tienes prisa... Y supongo que ahora la tienes, para ir a esa reunión, ¿no?

–No es una reunión. Es la fiesta de fin de curso de Torie.

–Ah.

La imagen de una niña pequeña se convirtió de repente en la de una niña con uniforme. De todas formas, no se imaginaba a Seb Sinclair con una niña pequeña en brazos.

–Ser puntual es importante.

–¿Quieres dejarme aquí mismo? No me importa –dijo Kree entonces–. Sólo faltan un par de manzanas...

–No, prefiero dejarte en el coche –la interrumpió él.

–Pero no quiero que llegues tarde a la fiesta del colegio.

–No te preocupes, llegaré a los discursos.

–¿Tu hija tiene niñera?

–No. ¿Por qué lo preguntas?

–Estoy intentando imaginarte a ti y a tu hija en mi casa. Ya sabes que no es nada lujosa...

–Si a mí eso no me importa, ¿por qué te importa a ti?

–No es que me importe... Ah, ahí está Calabaza –dijo Kree entonces.

«Calabaza» era un Volkswagen Escarabajo de color naranja con los asientos forrados en piel de leopardo.

–Si no te preocupa que me mude a tu casa, ¿por qué has venido a verme? –preguntó Seb.

Ella dejó escapar un suspiro.

–La verdad es que sí tengo un pequeño problema. Le había prometido a mi amigo que se la alquilaría y...

–No tenías derecho a prometerle eso.

–Yo no sabía nada sobre esa cláusula de subarriendo o como se llame –protestó Kree.

–Creí que lo habíamos dejado claro el viernes: no puedes alquilarle la casa a nadie más que a mí.

–Sí, lo dejaste muy claro, pero no me has contado nada más. Por ejemplo: ¿vas a pagar alquiler? ¿Cuánto tiempo piensas quedarte?

–Te pagaré el alquiler de dos meses y mil dólares más por el uso de tus muebles y tus cosas. ¿Te parece bien?

Ella lo miró, enfadada.

–¿Importa lo que yo diga?

–No puedo obligarte a tenerme como inquilino.

–Ya, pero no puedo decir que no porque tu propuesta es muy generosa –replicó ella, irónica–. Gracias por traerme hasta aquí.

Todo fue cuesta abajo a partir de ese momento. Después de tener que soportar a aquel dictador, Calabaza decidió no arrancar. Kree llegó a casa a medianoche y encontró una nota de una de sus peluqueras, Tina, bajo la puerta, diciendo que se iba del pueblo con su marido, Paul Dedini.

Al día siguiente descubrió por qué: Sebastian Sinclair había despedido a Paul de su puesto en la Inmobiliaria Heaslip.

El miércoles llegaron los pintores y los carpinteros para arreglar la casa, por orden del señor Sinclair, y estuvieron toda la semana dando golpes.

Se fueron el viernes por la tarde y Kree decidió echar un vistazo y recoger algunas cosas personales antes de que llegaran los Sinclair. Y entonces descubrió que habían cambiado la cerradura.

Si no necesitase el dinero del alquiler... Le habría encantado decirle a Sebastian Sinclair lo que podía hacer con su dinero, pero no podía hacerlo porque estaba en las últimas.

Además, él sólo estaría en Plenty un par de meses. Quizá ni siquiera eso. Y tenía que intentar ser «amable» con aquel cacique.

Aquel cacique que acababa de llegar a Plenty.

Lo supo cuando vio la furgoneta al final de la calle, incluso antes de verlo, porque se le puso el vello de punta.

«Ridículo», pensó. Pero sus pies se negaban a moverse. Entonces vio a la chica que iba a su lado... Torie Sinclair tenía los ojos de su padre y era mucho mayor de lo que Kree había imaginado. Era una adolescente. Y por su expresión, Plenty no parecía hacerle ninguna gracia.

–Hola, Kree –la saludó Julia–. ¿Qué haces ahí parada?

–Contemplando el paisaje –suspiró ella.

–¿Quieres que vayamos a nadar mañana?

–¿Qué? Ni lo sueñes.

–Tienes que ir conmigo, Kree. Necesito adelgazar –protestó su cuñada.

Los cuatro primeros largos no la mataron; el siguiente estuvo a punto de hacerlo. Agarrada al borde de la piscina, Kree buscaba el aire que le faltaba a sus pulmones.

–Tienes que acostumbrarte a hacer ejercicio –rió Julia.

–Esta es una forma de ejercicio antinatural. Casi me ahogo. ¿Qué ha sido de los paseos? ¿Qué ha sido del régimen de Mac?

–El régimen de Mac se ha ido a la porra porque ahora es Zane el que pasea al perro. Además, estamos en verano, así que lo lógico es ir a nadar.

–Si nadar fuera lo lógico, Dios nos habría dado aletas en lugar de pies –suspiró Kree, subiendo por la escalerilla.

Pero no terminó de hacerlo. Porque al otro lado de la piscina acababa de ver a un tipo de más de metro ochenta, con unos hombros anchísimos, unos abdominales bien marcados y unas piernas de escándalo.

–¿Qué pasa? –preguntó su cuñada.

Instintivamente, Kree metió la barriga, sin darse cuenta de que Seb Sinclair no podía verla porque acababa de tirarse de cabeza a la piscina.

–Ese era Sebastian Sinclair.

–Pues está en forma –murmuró Julia.

Kree emitió una especie de bufido. Desde que llegó a Plenty no había ido a saludarla, ni siquiera le presentó a su hija, algo que habría hecho cualquier vecino educado.

–Ya he hecho suficiente ejercicio por hoy. Voy a tomar el sol.

Cuando estaba llegando a su toalla vio a Torie Sinclair. Estaba sola, con expresión aburrida... y apenada. Y a Kree se le encogió el corazón.

«No tienes por qué meterte», pensó. «Esta chica sólo va a estar aquí un par de meses».

Si ella no la hubiese mirado, habría seguido adelante. Pero Torie Sinclair la miró. Y al ver la tristeza en sus ojos no pudo evitar acercarse. Sabiendo que lo lamentaría más tarde.

–Hola. Tú debes ser mi nueva vecina. Torie, ¿verdad?

Capítulo Cuatro

Torie la miró, sorprendida.

–¿Tú eres la peluquera?

–Sí, me llamo Kree O'Sullivan.

–Lo sé. Me lo dijo mi padre.

¿Ah, sí? ¿Seb le había hablado de ella? Qué curioso.

–¿Y qué más ha dicho tu padre?

–No mucho, sólo que...

–Mira, déjalo. Prefiero no saberlo –sonrió Kree.

Torie respondió con una sonrisa tímida que transformó sus facciones. Los mismo ojos de su padre, las mismas pestañas largas y la misma estructura ósea... lo tenía todo menos el gene arrogante.

–Me gusta tu pelo –dijo Torie entonces.

–Ahora lo tengo fatal, pero gracias. Se lo diré a Mae–Lin.

–¿Quién es?

–Mi aprendiza. Me ha puesto unas mechas rubias esta semana, pero la semana pasada lo llevaba rojo.

–Qué trabajo tan divertido.

–A veces. Otras, es simplemente un inmenso dolor de pies –sonrió Kree.

–He traído tu toalla –dijo Julia entonces, acercándose.

–Julia, te presento a mi vecina, Torie Sinclair.

–Ah.

«La hija», dijo Kree en voz baja, volviendo la cara para que Torie no la viese.

–Julia es mi entrenadora personal.

–¿En Plenty hay entrenadores personales? –preguntó Torie, sorprendida.

–Los hay, pero yo no soy uno de ellos –sonrió Julia–. Sólo la obligo a hacer unos largos.

–Lo creas o no, es la madre de mi sobrina.

–Por cierto, tengo que irme a casa –dijo Julia entonces, envolviéndose en la toalla–. Encantada de conocerte.

–Igualmente.

–Si no te dan miedo los niños, puedes ir a visitarme cuando quieras.

Torie la observó alejarse.

–Lleva un piercing en el ombligo –murmuró, sorprendida.

–¿Y?

–No sé... siendo madre no le pega mucho.

–¿Por qué? Ser madre no te convierte en una vieja –sonrió Kree.

–Mi padre no me deja hacerme un piercing.

«Oh, cielos. Mejor dejar ese tema».

–En realidad, duele un montón. Por eso yo no me lo he hecho. Ni siquiera llevo pendientes, ¿ves?

–¿Y entonces cómo sabes que duele?

–Porque me lo ha dicho Julia.

–Pues mi amiga Jesse se lo hizo y dice que no le dolió nada.

Kree suspiró. No sabía qué contestar. Entonces vio que Torie estaba mirando a una pandilla de adolescentes que acababan de llegar a la piscina. Los Sinclair sólo iban a estar en Plenty unos meses, pero eso para una adolescente como ella podía ser una eternidad.

–Es duro llegar a un sitio nuevo, ¿verdad? Sobre todo, cuando no se conoce a nadie.

Torie apartó la mirada.

–No me apetece conocer a nadie –murmuró, con un desdén que no engañó a Kree–. No voy a estar aquí mucho tiempo.

–Tu padre dijo que estaríais en Plenty un par de meses.

La chica se encogió de hombros.

–Eso depende de mi madre. Tenía que pasar las vacaciones con ella, pero se ha ido a Londres.

–¿A trabajar?

–No, mi madre no trabaja. Se ha ido con su último amante. Es diplomático.

Lo había dicho como si fuera lo más normal del mundo, pero Kree no se dejó engañar. La pobre debía haber soñado con esas vacaciones... y su madre la dejó plantada. No era tan difícil entender a una adolescente.

–¿Sabes una cosa? Tienes las puntas abiertas. Yo creo que te iría bien un corte de pelo, Torie Sinclair.

–¿De verdad?

–Claro. Puedes ir a mi peluquería cuando quieras. Te haré un descuento.

–Tendré que preguntarle a mi padre.

–Podría cortárselo también a él. Aunque no somos amigos ni nada parecido –dijo Kree entonces–. ¿Qué tal si le hago unas mechas?

–Mi padre es demasiado serio... ah, lo dices de broma, ¿verdad? –rió Torie.

–¿Te lo imaginas con el pelo de punta?

Estaban riéndose cuando una sombra apareció a su lado. Y cuando Kree levantó la mirada, se le atragantó la risa.

Seb Sinclair en bañador parecía más alto, más impresionante. Bronceado, de músculos trabajados, con aquel torso cubierto de vello oscuro...

Tenía que dejar de mirarlo.

–Hola, Kree. Veo que ya conoces a mi hija.

Ella asintió, aún medio cegada por su repentina aparición. Y porque la había llamado por su nombre. Era la primera vez que la llamaba por su nombre. Y con ese acento británico, sonaba tan...

–Ha hecho su primera amiga en Plenty. Dos, contando a Julia.

–Torie, recoge tus cosas. Nos vamos –fue la respuesta de Seb Sinclair.

Kree se puso furiosa. ¿No quería que fuera amiga de su hija? ¿Por qué? ¿Qué pensaba, que iba a corromperla?

–¿No quieres descansar un rato? Te he visto haciendo varios largos en la piscina. ¿Qué haces, castigarte por algo?

Él no contestó, pero Torie soltó una risita.

–Ha hablado esta mañana con mi madre. Eso siempre lo pone furioso.

Ah. Había hablado con la madre...

–Torie, vámonos.

Qué grosero. ¿Qué había sido del caballero amable que llegó a su casa el primer día? ¿Por qué la trataba así?

–¿Otra reunión de última hora? –preguntó Kree, irónica–. ¿Tienes que echar a alguien del pueblo?

–¿Perdona?

–He dicho...

–Te he oído perfectamente. Lo que no entiendo es qué querías decir con eso.

–¿Ah, no? Los Dedini, por ejemplo.

–¿Paul Dedini se ha ido del pueblo?

–Llevándose a toda su familia. Cuando decides darle la patada a alguien, no tienes miramientos, ¿eh?

–¿Te importaría continuar esta conversación en un sitio más apropiado? –dijo él entonces, apretando los dientes.

Había público: Torie. Y a Seb Sinclair no le gustaba el público cuando tenía que dar explicaciones.

–Estaré en mi salón a las cinco.

–Muy bien.

–Por cierto, ¿te importaría darme una llave de mi casa? Me parece que se te ha olvidado.

–Dijiste que había que arreglar la cerradura.

–Pero podrías habérmelo dicho antes por si tenía que sacar mis cosas, ¿no te parece? Bueno, me voy. Hasta luego, Torie –replicó Kree, irritada–. Por cierto, Seb, esta tarde tengo mucho trabajo, así que no llegues tarde.

Esas palabras irónicas se repetían en la cabeza de Seb una y otra vez. Pero, por supuesto, no llegó tarde a la cita. Eso habría sido como rendirse, como aceptar que quería jugar con Kree O'Sullivan.

Y resistió la tentación como la resistió cuando salió de la piscina y la vio con aquel diminuto bañador. La resistió como lo hizo cuando la oyó reír y esa risa sonó como un eco en su interior, como la resistió cuando vio el tatuaje que llevaba en la cintura, como la resistió al ver que sus pezones se marcaban bajo la tela del bañador...

Tenía que resistirse mucho.

Seb sacudió la cabeza. No quería que Kree O'Sullivan le gustase, no quería sentirse atraído por ella. Y menos cuando estaba en bañador.

Y luego, lo de Paul Dedini... hasta que ella le habló de su repentina partida, pensaba que era un vago y un negligente. Pero haberse marchado de Plenty de esa forma, sin avisar a nadie, le daba mucho que pensar.

Al día siguiente pasaría los libros de contabilidad de la inmobiliaria Heaslip al departamento contable de su empresa. Si había algún fraude, Michael lo encontraría. Mientras tanto, intentaría reunir información. ¿Y quién mejor para dársela que Kree O'Sullivan, la chica que siempre decía lo que pensaba?

Seb levantó la mano para llamar a la puerta del salón de belleza... pero estaba abierta.

Kree estaba de espaldas y no lo había oído

entrar porque tenía el estéreo a todo volumen.

–¿Te parece sensato dejar la puerta abierta?

Ella se volvió, sorprendida.

–En Plenty no hay robos. Además, estaba esperándote.

–Si hubiera sido un asesino, te habría pillado por sorpresa.

–Pero no eres un asesino, ¿no? –sonrió ella–. Aunque, claro, estás especializado en analizar riesgos.

–Por eso, una mujer sola con una caja registradora es un riesgo.

–No cuando la caja registradora está vacía. Oye, ¿sabes una cosa? Estoy intentando soportar tus groserías, pero...

–¿Qué groserías? Apenas hemos intercambiado dos frases.

–Exactamente. Cuando uno se muda a un sitio nuevo tiene que ser amable con los vecinos.

–Por favor...

–Con esa actitud, no le caerás bien a nadie.

–No he venido aquí para llevarme bien con la gente.

–Pues entonces lo estás haciendo estupendamente –suspiró ella–. ¿Qué te pasa? ¿Has vuelto a hablar con tu ex mujer?

–Esto no tiene nada que ver con Claire –contestó Seb, irritado.

Kree lo miró, atónita.

–¿Estuviste casado con Claire Heaslip?

–Brevemente.

–Ah, ahora lo entiendo todo. Tú no eres sólo un albacea... la heredera de Heaslip es Torie.

–Soy su albacea hasta que sea mayor de edad y pueda decidir qué quiere hacer con la herencia –suspiró Seb–. Y mi trabajo consiste en comprobar que su dinero se invierte sabiamente. Para eso estoy aquí.

–¿Porque Paul no lo invertía bien?

–Exactamente.

–Y echarlo de aquí ha sido el primer paso, ¿no?

–Le ofrecí un mes de sueldo, pero ha desaparecido. ¿No te parece raro?

–Me extraña, la verdad. Sobre todo, porque Tina siempre se quejaba de que no llegaban a fin de mes.

–El salario de Dedini era bastante respetable.

–Sí, claro, si no le hubiese gustado tanto el juego...

–¿Dedini jugaba?

Como si acabara de leer sus pensamientos, Kree negó con la cabeza.

–No te vuelvas paranoico. Paul no era tan listo... No falta dinero en la empresa, ¿verdad?

–Yo no he dicho...

–No tienes que decirlo –lo interrumpió ella–. Era de esperar. Los Dedini se van de Plenty y tú das a entender que Paul está involucrado en... ¿cómo lo llamarías? ¿Malversación de fondos?

–Yo no he dado a entender nada.

–Pero has dicho...

–Te he preguntado si Dedini jugaba, nada más –la interrumpió Seb–. Porque me parece raro que se haya marchado de Plenty a toda prisa.

–No me extraña. Después de tantos años en la empresa, se habrá sentido ofendido.

–Ya, bueno... Por cierto, tengo que pedirte un favor –dijo Seb entonces.

–Me lo imagino.

–¿Ah, sí?

–Era una corazonada. Vienes aquí a preguntarme por Paul cuando ni me has saludado desde que llegaste a Plenty, así que tienes que querer algo... y, además, vas a pedirme que no diga nada.

Seb la miró, sorprendido.

–Sería en interés de todo el mundo.

–¿Qué crees que voy a hacer? ¿Llamar a todas mis amigas? ¿Contarlo en el bar esta noche?: «Chicos, pasad la contraseña, Sinclair va a por todo el pueblo».

–Oye...

–Paul tiene que mantener a su familia, Seb. Ahora mismo estará buscando trabajo y yo no pienso hacer nada contra él.

–¿No sabes dónde ha ido?

Kree dejó escapar un suspiro.

–No. Y no te preocupes, no voy a decirle nada a nadie.

–Hay una cosa más...

–¿Otro favor?

–Es sobre la herencia de Torie. No quiero que lo sepa nadie.

–¿Por qué?

–Claire no es la hija favorita de Plenty precisamente y si se sabe que es la madre de Torie...

–¿No quieres que tu hija oiga rumores sobre su madre?

–Eso es.

–De acuerdo. Pero sólo porque tu hija me cae bien.

Capítulo Cinco

A Seb le habría gustado acercarse más, besarla, decirle qué favores podían hacerle esos labios, esas manos suyas.

Pero se marchó porque la única alternativa era dejar de hacer preguntas sobre Paul Dedini y empezar a hacerlas sobre ella. Por ejemplo, de qué se reía con Torie en la piscina o por qué se cambiaba el color del pelo cada semana.

Pero después de cenar, su curiosidad se volvió inquietud.

–Voy a salir a correr un rato. ¿Te apetece venir conmigo, Torie?

–No, gracias –contestó su hija, sin apartar la mirada del televisor.

Mientras se ponía el chándal, Seb se sentía inquieto, impaciente y excluido. Algo había hecho revivir el sonido de la risa de su hija en la piscina... ¿por qué no se reía así con él?, se preguntó. ¿Por qué con él siempre era una niña seria, enfadada?

Ese pensamiento lo llevó de nuevo, sin

querer, a Kree O'Sullivan. Y a la ventana para ver su casa. Era puro magnetismo, pura y simple atracción. En Kree no había falsedad, no había mentiras. ¿Quién si no Kree O'Sullivan se atrevería a preguntar si estaba de mal humor porque había hablado con su ex mujer?

Pero Seb se negaba a reconocer que hubiera sido grosero. No lo había sido en absoluto. No tenía por qué saludar a su vecina y no tenía que justificarse por ello.

Entonces apartó la cortina y miró hacia el jardín... ¿qué demonios estaba haciendo, subiéndose a un árbol?

La luz de la linterna que había llamado su atención se movió arriba y abajo y luego a la derecha antes de apagarse. Entonces Seb decidió salir a investigar.

–¿Algún problema?

Kree, sorprendida, levantó la cabeza y se dio un golpe contra la rama del árbol.

–¡Ay!

–¿Te importaría decirme qué haces subida ahí?

–Cosas –contestó ella, frotándose la cabeza.

–¿Te has hecho daño?

–No, estoy bien.

–¿Seguro?
–Seguro.
Pero no era verdad. Para empezar, no soportaba que la hubiera pillado en esa situación, intentando convencer a Gizmo para que bajase del maldito árbol.
–¿Qué andas buscando?
–Un gato –murmuró Kree–. No quiere bajar.
–¿Desde cuándo está ahí?
–Le di de comer esta mañana, pero esta noche no volvió a casa.
–¿Has probado a ofrecerle comida?
–Qué plan tan brillante –replicó ella, irónica–. El problema es que Gizmo es muy especial con sus comidas.
Y en sus peores momentos era un gato psicópata que atacaba a los viandantes. Que era lo que ella trataba de evitar. Pero no se lo dijo a Seb.
Entonces él empezó a subir al árbol.
–¿Qué haces? –le preguntó, sin dejar de observar los glúteos marcados por el pantalón corto, los bíceps...
–Subirme al árbol, ¿no lo ves?
–No vas vestido para subir a un árbol.
–No me había vestido para eso. Iba a correr un rato –suspiró él, colgándose de una rama.
Kree intentó ver lo que hacía, pero estaba

demasiado oscuro. Hasta que oyó un maullido y lo vio con Gizmo bajo el brazo.

–Gracias, gracias, gracias. Si algo le pasara a este maldito gato...

El maldito gato que movía la cola de lado a lado, mirándolo con un brillo demente en los ojos.

–No quiero alarmarte, pero a Gizmo le gusta arañar.

Acababa de decirlo cuando el gato lanzó un zarpazo. Afortunadamente, Seb lo evitó.

–¿Lo ves? Es un gato desagradecido y diabólico.

Encantado con esa descripción, Gizmo lanzó un maullido.

–No creo que sea para tanto.

–Me dan ganas de dejarlo aquí, pero estoy segura de que urdiría algún otro plan contra mí.

–Me imagino que su plan era cazar algún pájaro –sonrió Seb, bajando del árbol–. ¿Necesitas ayuda?

–Por supuesto que no –contestó ella.

Cuando entraron en la casa y puso delante de Gizmo su plato de comida, el animal se lanzó de cabeza.

–A ver si te atragantas.

–Veo que no te gustan los gatos.

–Me encantan los gatos, pero esto no es un gato, es un bicho. Cuando tenía ocho años le pedí a mi madre que me comprase un gatito, pero... –Kree no terminó la frase. No le apetecía contarle su vida–. Gracias por tu ayuda. Has venido en el momento adecuado.

–Vi la linterna desde mi ventana...

–Y supongo que te preguntarías qué demonios estaba haciendo.

–Admito que sentí cierta curiosidad.

–Ya, bueno... esto es lo más emocionante que puede pasar en Plenty, así que acostúmbrate –dijo ella entonces.

–Además, te estaba devolviendo un favor –sonrió Seb.

–¿Por no decir nada sobre Torie y Paul Dedini? No me callo para hacerte un favor a ti.

–Ya... Bueno, en realidad, quería darte las gracias por charlar con mi hija en la piscina.

–Sólo estaba siendo amable.

–Te lo agradezco.

–¿Ah, sí? Pues a mí me pareció que no te hacía gracia que hablase con ella –dijo Kree entonces.

–Es que mi hija es... muy impresionable.

–Como todas las adolescentes. Ah, ya entiendo. ¿Qué crees, que iba a convencerla para que se tiñese el pelo de verde? ¿O para que se hiciera un piercing en el ombligo?

Se miraron a los ojos durante un segundo y entonces Kree se levantó la camiseta.

–No sé si te has fijado, pero yo no llevo ningún piercing.

Seb tragó saliva. No, no llevaba ningún piercing, pero aquel estómago tan suavecito...

–¿Y el tatuaje?

–¿El tatuaje?

–El que llevas en la espalda.

–¿El dragón? ¿Cuándo lo has visto? –preguntó Kree, sorprendida.

–El otro día, cuando estabas sentada en la terraza.

–¿Quieres verlo?

–Si tú quieres enseñármelo... –sonrió él.

Kree se volvió y le mostró la espalda. No había ningún dragón, pero vio el borde de las braguitas blancas y tuvo que tragar saliva de nuevo.

–¿Dónde está?

–No era un tatuaje de verdad, era un dibujo hecho con henna. Estamos probando nuevas ideas para el salón de belleza y mi ayudante practica conmigo.

–¿Dejas que practique con tu pelo? –preguntó él–. ¿Y en tu cuerpo?

–Sí, claro. Pero no estábamos hablando de mí, estábamos hablando de Torie.

Seb asintió.

–Ya.

–Mira, vas a estar aquí poco tiempo y si no haces algo tu hija se va a aburrir muchísimo.

Yo podría presentarle a los chicos del pueblo...

–No es necesario, gracias –la interrumpió él–. Le buscaré algún trabajo en la oficina para que no se aburra.

–¿Qué eres, masoquista? ¿Quieres pasar todo el día con una adolescente?

Seb soltó una carcajada.

–No, todo el día no.

El humor que había en su expresión la sorprendió. De modo que Seb Sinclair también tenía sentido del humor...

–¿Qué hace normalmente?

–Se pasa el día viendo la televisión, hablando por teléfono o escuchando música a todo volumen. Espero que no te moleste.

–¿Qué clase de música le gusta?

–Ni idea. Música a todo volumen.

Kree sonrió.

–Si me molesta, le diré que la baje.

–¿Sí? Buena suerte.

–O podría bajarla yo misma si se pone tonta. Ahora tengo una llave...

Seb la miró muy serio, pero había un brillo en sus ojos... ¿Le excitaba la idea de que pudiera entrar en su casa a cualquier hora? ¿Qué esperaba, que subiera por la noche para «hacer ejercicio con él»?

«Horror», pensó Kree. Tenía que poner freno a su imaginación.

Entonces vio que Gizmo había dejado de comer y se acercaba a ellos moviendo la cola...

–¡Cuidado!

Se lanzó hacia el gato para detenerlo, pero lo que encontró en su camino fue un par de piernas musculosas y velludas. Nerviosa, las soltó enseguida. Aunque si levantaba la cabeza tendría una clara visión de ciertas partes masculinas mucho más personales que una pierna...

Kree se quedó inmóvil. ¿Cómo podía levantarse elegantemente? ¿Debía arrastrarse por el suelo?

–¿Necesitas que te eche una mano?

No era tan tentador como un muslo, pero podría valer. Mientras la levantaba, Kree evitó mirar sus muslos y sus bíceps. Se merecía una medalla por eso.

–¿Te ha arañado?

–¿El gato? No.

–Es que vi a Gizmo lanzándose hacia tus piernas y... puede hacer mucho daño, te lo aseguro. Tiene la manía de lanzarse sobre cualquiera que lleve pantalones cortos.

–Entonces supongo que debería darte las gracias.

La frase perdió toda inocencia cuando lo miró a los ojos. Nerviosa, Kree se pasó la lengua por los labios.

–¿Y no vas a hacerlo?

–No.

–¿Por qué? ¿Te he hecho daño?

–Yo diría que eso depende del punto de vista.

–¿Y cuál es tu punto de vista?

–No sé. He visto a una mujer de rodillas, abrazada a mis piernas... –contestó Seb, con los ojos brillantes–. Me parece que esta noche voy a tener que correr más de lo que pensaba.

El impacto de esas palabras, devastadoramente directas y sexuales, hizo que Kree se quedara en silencio.

Qué día tan raro y qué hombre tan raro, pensó. Un hombre que primero se portaba como un grosero, luego la ayudaba a rescatar a un gato y, más tarde, dejaba caer que le gustaba.

A lo mejor lo había dicho de broma, pensó.

Pero no había visto ningún brillo burlón en sus ojos. Además, Sebastian Sinclair no era la clase de hombre que bromea con esas cosas. Y tampoco la clase de hombre que se casa...

Y en la vida de Kree no había sitio para un hombre así.

Como el sábado era el día que hacían descuento a las personas de la tercera edad, el salón de belleza estaba lleno de gente. Y como Tina se había marchado, Kree apenas encontró un momento para descansar.

No sabía si aquella iba a ser la tónica general o simplemente el bullicio previo a la Navidad, pero no pensaba quejarse.

Cuando por fin pudo encontrar cinco minutos para tomar un café, Kree salió del salón y se encontró con Torie.

–Hola. ¿Qué haces por aquí?

–Estaba dando un paseo.

–¿Qué tal va todo? Me han dicho que trabajas en Heaslip.

Torie levantó los ojos al cielo.

–Nunca trabajaré en una oficina. Es superaburrido.

¿Después de un día y medio? Kree contuvo una risita.

–¿Has terminado por hoy?

–Sí. Iba a comprar una coca–cola.

–¿Te importaría traerme un café? –preguntó Kree entonces, sacando el monedero–. Tengo la peluquería hasta arriba.

–Muy bien.

–Dile a Sue que es para mí.

Cuando Torie volvió diez minutos después, parecía decidida a quedarse.

–¿A tu padre no le importa que estés aquí?

–Supongo que no. Mejor estar aquí que en la calle.

Cierto, pero Kree no estaba segura de que Sebastian Sinclair lo aprobase.

–¿Puedo ayudarte en algo? –preguntó Torie entonces.

–Podrías pasar la escoba. Pero eso es mucho más aburrido que escribir a máquina.

–Qué va. Archivar papeles es más aburrido que nada.

–No dirías eso si tuvieras que pasar la escoba treinta veces al día.

–¿Puedo hacerlo?

Kree se lo pensó. Lo peor que podía pasar era que Seb la viera por el cristal y entrase a montarle una bronca. Pero esa idea hizo que sintiera cierto cosquilleo...

–No puedo pagarte –le advirtió.

«Olvídate del padre», se dijo a sí misma. Ese hombre no te da más que problemas.

–No necesito que me pagues nada. Estoy aburrida.

–Muy bien, como quieras. Pero, a cambio, podría hacerte el corte de pelo que te dije el otro día...

–¿En serio?

–Claro que sí.

Capítulo Seis

Seb pasó la primera semana en Plenty buscando un candidato para dirigir la inmobiliaria Heaslip. Y cuando encontró uno excelente, el director de una agencia rival en un pueblo cercano decidió ir a hacerle una oferta.

Pero la expedición del sábado no salió bien.

Ryan McTaggart lo miró a los ojos y le dijo:

–Nosotros no hacemos las cosas así, amigo.

No hubo forma de convencerlo. Por lo visto, viviendo en un pueblo pequeño era más importante la satisfacción personal que el dinero o el prestigio.

Ilógico, frustrante, y una pérdida de tiempo.

Cuando volvía a Plenty, Seb recordó lo que Kree O'Sullivan le había dicho: que no iba a llevarse bien con la gente del pueblo.

Quizá debería haber consultado con alguien de allí, pensó. Pero a la única persona que conocía era a Kree O'Sullivan.

Y la recordaba de rodillas agarrada a sus piernas, o levantándose la camiseta para mostrarle la espalda, recordaba sus jugosos labios, sus ojos brillantes...

Nada que debiera recordar.

Había jugado con fuego una vez y las consecuencias duraban toda una vida.

Una de esas consecuencias, la única que no lamentaría nunca, se dirigía en ese momento al salón de belleza de Kree.

Y él le había dicho que no fuera por allí...

Entonces vio que Kree salía a la puerta y hablaba un momento con su hija. Torie sonrió de oreja a oreja, pero al darse la vuelta volvió a ponerse seria. Porque lo había visto. La transformación hizo que a Seb se le hiciera un nudo en la garganta.

¿Por qué? ¿Por qué él no podía arrancar una sonrisa a su hija?

Había insistido tanto en darle una disciplina, una vida controlada para compensar los excesos de su madre... que quizá había exagerado.

–Llegas pronto –dijo Torie.

–Desgraciadamente. Y espero que tú lo hayas pasado mejor que yo.

–Sí, bueno, voy a ayudar a Kree un rato –contestó ella, apartando la mirada–. Es que tienen mucho trabajo porque como se ha marchado una de las chicas...

–Me parece bien.

Su hija parpadeó.

–¿En serio?

–Mejor estar en el salón de Kree que en la calle.

–¡Eso es lo que yo le dije! –exclamó Torie, con una sonrisa en los labios.

Seb sonrió también, encantado de verla feliz.

–¿Te apetece ir a Cliffton? Podríamos ir de compras y luego al cine.

–Es que le he prometido a Kree que la ayudaría...

¿Desde cuándo trabajar le interesaba más que ir de compras?, se preguntó Seb. ¿Nunca entendería a su hija?

–Si te apetece mucho... a lo mejor yo también debería echar una mano.

–No, papá, por favor... Ah, lo dices de broma, ¿no?

–Probablemente.

Torie soltó una carcajada.

–Qué tonto eres –dijo, suspirando. Luego se quedó pensativa–. Oye, si quieres ir a Cliffton, podemos ir.

–Pero tú prefieres quedarte, ¿verdad?

–Sí. ¿Puedo, papá?

¿Cómo iba a resistir un padre esa pregunta, hecha con la expresión más cándida?

–Claro que sí. Pero te quiero en casa a las cinco.

Seb la observó alejarse moviendo alegremente la coleta y dejó escapar un suspiro. Pero tendría que hablar con Kree más tarde para... para saber si Torie la estaba molestando.

Mientras tanto, ¿qué daño podía hacerle trabajar un poco?

¿Qué daño podía hacerle?

Seb apretó los puños al ver a su hija entrando por la puerta... a las seis, no a las cinco como le había prometido. ¡Y con esos pelos!

¿Qué se había hecho en el pelo?

¿Qué le había hecho Kree O'Sullivan en el pelo?

Furioso, tomó el teléfono y marcó su número.

–¿Dígame?

–Soy Sebastian Sinclair.

–Ah, hola. Iba a llamarte yo para darte las gracias por dejar que Torie me echase una mano...

–Y ya veo que le has pagado en especie. Sin pararte a pensar si yo estaría de acuerdo.

–¿Te molesta que le haya cortado el pelo o que no le haya pagado con dinero?

–No esperaba que le pagases un céntimo. Ni siquiera sabía que iba a trabajar para ti hasta que me la encontré esta tarde.

–Ah, entonces es el pelo. ¿Es el color? ¿Qué pasa, no te gustan las mechas?

–Puede que tú pienses que el color violeta es discreto. Yo no.

Al otro lado del hilo hubo un silencio.

–¿Cuándo ha llegado Torie a casa exactamente?

–Hace veinte minutos. ¿Por qué?

–Quizá deberías preguntarle a tu hija qué ha hecho con su pelo cuando yo me fui de la peluquería –dijo Kree entonces–. No, espera... quizá antes deberías dar un par de vueltas a la manzana. O mejor, nadar dos o tres kilómetros. *Entonces* podrías hablar con tu hija.

Después de colgar, Kree se lo pensó mejor. Seb no tenía que hablar con su hija, sólo necesitaba hacer un par de preguntas y escuchar atentamente sus respuestas.

Porque debía haber sido Mae–Lin quien le puso las mechas de color violeta... después de que ella le hubiera puesto unas mechitas rubias muy discretas para no ofender a su insoportable progenitor.

Estuvo a punto de llamarlo para decírselo, pero no lo hizo. No iba a escucharla de todas formas.

Pero estaba equivocado. Y ella estaba harta de su arrogante actitud. De modo que cuando sonó el timbre quince minutos después estuvo a punto de no abrir. Pasarse el sábado por la noche rellenando papeles del banco era suficientemente angustioso como para no tener que soportar, además, a su desagradable vecino.

Como para confirmar esa opinión, Seb pareció apoyarse en el timbre y Kree tuvo que abrir para no quedarse sorda. Con el vaso de Bayley's en la mano, porque los sábados se permitía el lujo de saltarse el régimen.

–Muy bien. Suéltalo de una vez.

Quizá no era el mejor mensaje dado el «calor» de sus encuentros previos, pero no se le ocurrió nada mejor y, además, le daba igual.

Entonces se dio cuenta de que su expresión no era tanto enfadada como decidida. Y que estaba mirando fijamente la camiseta de su pijama. Probablemente porque sus traidores pezones estaban enviando el mensaje equivocado.

–¿Llego en mal momento? –preguntó Seb por fin.

–Estoy sola, si eso es lo que quieres saber.

Pero ha sido una semana muy larga y tengo otras cosas en qué pensar, además de en ti y en el pelo de tu hija.

–Sólo quiero hablar contigo un momento. Torie me ha contado que Mae–Lin le hizo las mechas cuando tú ya te habías ido. O sea, que era verdad.

–Pues claro que era verdad. Y me alegra que vengas a pedirme disculpas.

–No he venido a pedirte disculpas... sólo quiero ser justo.

–Muy bien. ¿Necesitas más tiempo para pedirme perdón?

Seb apretó los dientes.

–¿Esperas una disculpa? ¿Después de haber dejado sola a mi hija con una empleada que se dedica a experimentar con el pelo de los demás?

–¿Me culpas a mí? –exclamó ella–. Eres tú el que ha dejado a tu hija sola toda la tarde.

Seb dejó escapar un suspiro.

–Tienes razón.

–¿No sabes pedir perdón, Sebastian Sinclair?

–No, pero lamento que Torie te haya molestado.

–No me ha molestado en absoluto. Puede ir a la peluquería cuando quiera.

–¿Y se puede saber qué hace allí?

–Barrer pelos.

–¿Eso es lo que hace, barrer pelos?

–Torie hace lo que le pido y no se queja. Ojalá los chicos del instituto de Plenty fueran tan agradables como ella.

–¿Sueles contratar a los chicos del instituto?

–Como se hace en todas las peluquerías. Así ganan un dinerillo para el cine y esas cosas –suspiró Kree–. ¿Por qué? ¿Quieres que Torie trabaje para mí?

–¿Tendría que firmar un contrato?

Kree negó con la cabeza. Pero no podía concentrarse en la conversación porque acababa de ver a Gizmo merodeando a su alrededor.

¿Seb quería que contratase a Torie? Era una chica estupenda, pero tener que soportar al padre...

–Mira, esta noche no me apetece pegarme con Gizmo, así que será mejor que entres.

–¿Estás segura? –preguntó él.

–Por lo menos yo no voy a arañarte.

–Eso espero.

–Voy a hacer café. ¿Quieres? ¿O prefieres una cerveza?

–No, gracias.

–Siéntate, por lo menos.

Seb no lo hizo. Y era demasiado alto. Sobre todo, en su cocina. En su cocina parecía medir dos metros. ¿Por qué lo había invitado a entrar?

–Dime qué tendría que hacer Torie.

Kree dejó escapar un suspiro.

–Nada concreto. No es un trabajo en realidad. Es más... una especie de meritoriaje.

–No espero que le pagues. Y creo que le vendría bien trabajar un par de horas al día.

–Pero si trabaja para mí, ¿tendré que soportar que vengas a echarme la bronca cada vez que haga algo que no te gusta?

–Si ponemos ciertos límites, no.

–¿Qué límites?

–El número de horas, por ejemplo. Y nada de piercings, nada de tatuajes... ni temporales ni de los otros. Y nada de mechas de colores.

–Muy bien. Aunque a las adolescentes les gusta cambiarse el color del pelo. No pasa nada, se quita con cuatro o cinco lavados.

–¿Te parece bien que se ponga el pelo de colores?

–No me parece ni bien ni mal. Me parece que es lo que hacen todas las chicas de su edad –suspiró Kree–. ¿Es que tú nunca fuiste adolescente?

–Claro que sí. Y por eso precisamente...

«Me preocupa Torie» iba a decir. Porque recordaba sus propios errores, pensó Kree. ¿Cuál era el error, Claire Heaslip? ¿Cuántos años tendría Seb cuando Claire quedó embarazada?

–Torie es una buena niña. Y lista.

–Lo sé, pero también es impresionable. ¿Por qué se pone el pelo de color violeta? ¿Por qué querría hacerse un piercing? Lleva meses dándome la lata con eso.

Lo había dicho enfadado, pero también confuso. Y Kree descubrió entonces que estaba perdido.

–Lo de cambiar de imagen es una cosa de chicas. Es posible que tú no lo entiendas, pero así es. También es una forma de saber quién eres, de encontrar tu sitio en el mundo...

–¿Y qué va a aprender poniéndose el pelo de color violeta?

Kree contuvo una risita.

–No lo sé, le hizo gracia, supongo.

–Eso es lo que me preocupa –suspiró él, mirándola de arriba abajo. Desde las mechas rubias hasta el anillo que llevaba en uno de los dedos del pie–. ¿Tú has encontrado tu sitio en el mundo, Kree?

Aquella pregunta, y sobre todo el tono en que la había hecho, la sorprendió.

–Cuando llegué a Plenty me di cuenta de que nunca sería como la gente del pueblo. Pero no me importa. Prefiero que la gente me mire. Eso es mejor que pasar desapercibida.

–Yo diría que has tenido mucho éxito.

–Sí, mírame, en pijama un sábado por la noche rellenando papeles del banco.

–Una forma extraña de pasar el sábado... para una chica como tú.

–Una chica tiene que hacer lo que tiene que hacer. Y, desgraciadamente, yo tengo que hacerlo.

–¿Vas a pedir un crédito?

–Si termino de rellenar todo esto...

Seb tomó uno de los papeles que había sobre la mesa.

–No parece muy complicado.

–¿Ah, no?

–Si enseñas a mi hija a trabajar, a cambio yo te ayudaré con el crédito.

–¿En serio?

–Sí.

–¿Por qué?

–Creí que lo había dejado claro. A cambio de ayudarte con los papeles del banco, tú enseñas a Torie a trabajar. Eso sería muy valioso para ella.

No era verdad. La verdad era que no quería sentirse en deuda con ella.

–¿Por qué has cambiado de opinión si puede saberse? ¿Por qué quieres que Torie trabaje en mi salón?

Seb tardó un momento en contestar.

–Porque la he visto sonreír cuando hablaba contigo.

La sinceridad de esas palabras era tan...

Instintivamente, Kree se llevó la mano libre al corazón. Seb quería a su hija. Y quería verla feliz... pero sin el pelo de color violeta.

–Lo haría de todas formas por Torie. No necesito que me devuelvas el favor.

–Yo creo que es mejor así.

–¿Tendremos que estar juntos para cumplimentar los papeles?

–Tendrás que darme la información, claro.

–Claro –murmuró Kree.

Necesitaba ayuda, eso desde luego. Y no debía ponerse en plan orgulloso porque no podía pedirle ayuda a nadie más.

–¿Trato hecho? –preguntó Seb.

Kree lo miró a los ojos.

–¿Cuándo quieres que empecemos?

–¿Qué tal si empezamos ahora mismo?

Capítulo Siete

Una hora, dos tazas de café y cincuenta preguntas más tarde, Kree supo por qué había dudado en aceptar su ayuda.

Seb Sinclair la ponía nerviosa. Muy nerviosa. Y teniéndolo tan cerca, más.

Había química entre ellos. La pierna del hombre casi rozando la suya, el calor de su cuerpo, su voz, tan ronca, tan masculina...

Había habido momentos en la última hora en los que tuvo que sujetar con fuerza la taza de café para no ponerle una mano en el muslo.

Y el efecto de verlo trabajar: la cabeza inclinada sobre los papeles, aquellos hombros tan anchos, esas preguntas que Kree apenas entendía... Sí, desde luego, había algo muy atractivo en verlo manejar números. Incluso se preguntó cómo sería manejando...

Pero era mejor no pensar en eso. ¿Cómo podía sentirse excitada al verlo manejar una calculadora?

Era completamente ridículo.

–Yo creo que ya es suficiente –dijo Seb entonces, interrumpiendo sus pensamientos.

–¿A esto es a lo que te dedicas, a manejar números?

–Algo así –sonrió él.

–¿Y te gusta?

–Empecé trabajando en un banco y un día descubrí que se me daba bien.

–Sí, pero debe de ser aburridísimo. A mí se me da bien limpiar, pero no me gustaría dedicarme a ello profesionalmente –sonrió Kree–. Si te hubieras quedado en tu primer trabajo, ahora serías... a ver, debiste acabar la carrera a los...

–A los diecinueve años.

–¿A los diecinueve? ¿Qué eras, un niño prodigio?

–¿Por qué crees que la terminé?

–No lo creo, estoy segura –dijo ella–. ¿Qué estudiaste, Económicas?

–No –contestó Seb–. Pero mi trabajo no era aburrido. Empecé en el departamento de inversiones en el extranjero y luego abrí mi propia empresa.

–Una vez salí con un broker –sonrió Kree.

Él sacudió la cabeza.

–¿Qué pasa?

–No te imagino saliendo con un broker.

–Pues así fue. Bueno, ¿y qué? ¿Ganaste mucho dinero?

–Supongo que sí.

Debía haber ganado mucho dinero para tener aquellas oficinas tan lujosas, un Jaguar...

–Pero ganar dinero no ha sido nunca mi principal motivación.

–¿Y sigues pensando lo mismo?

–La satisfacción del cliente es lo que más me importa. A ti también, ¿no?

–Sí, supongo que sí. Hago que mis clientas se sientan mejor consigo mismas, con su imagen. A veces les doy algo que ni siquiera ellas esperaban.

–¿Cómo una terapia?

–Algo así –rió Kree–. No sabes las cosas que me cuentan... Pero es más que eso. Cuando las miro en el espejo, a veces casi puedo ver su espíritu. Y cuando las veo salir contentas de mi salón... es como una terapia para mí.

Él no dijo nada. Se quedó mirándola, en silencio. ¿Qué había detrás de aquellos ojos inescrutables? ¿En qué estaría pensando?

–Eres buena en tu profesión, ¿verdad?

–Yo quiero pensar que sí –contestó Kree, con voz ronca.

–¿Y tus chicas?

–También. Las he preparado yo.

–Entonces, no me equivoco al pensar que si ahora tienes problemas económicos no es porque tus clientas no estén satisfechas con tu trabajo.

–No, se debe a que han abierto otra peluquería en Plenty –suspiró ella–. Shanelle Cody la abrió hace seis meses.

–Y te hace la competencia.

–Shanelle no es competencia porque es muy mala peluquera –replicó Kree, furiosa–. Mis clientas volverán al salón, pero Shanelle me ha hecho sufrir mucho estos últimos meses.

–¿Si es tan mala peluquera por qué te ha hecho sufrir?

–Porque cobra mucho menos que yo. ¡Y encima les hace descuento a todos sus parientes!

–No puede tener tantos...

–¿Que no? Como su tatarabuelo fundó este pueblo, tiene cientos de parientes.

–Pero tú debes tener muchos amigos en Plenty.

–Sí, pero algunos nunca olvidan el pasado de la gente.

Seb la miró, sorprendido. Pero Kree no tenía intención de contarle su vida.

–Bueno, el caso es que mis clientas empiezan a volver poco a poco. Sólo tengo que esperar unos meses. Además, el dinero que me pagas por el alquiler ha sido como caído del cielo. ¿Has terminado?

–Sí. Mi secretaria pasará todo esto a máquina el lunes –suspiró Seb.

–No hace falta. ¿No puedo presentar los papeles así?

–Mejor a máquina. Marilyn puede hacerlo en un momento.

Muy bien. Y ahora sólo tenía que darle las gracias y decirle adiós, pensó Kree.

–¿Cuándo piensas ir a Sidney?

–Mañana. Estaré fuera un par de días. ¿Algún problema?

–¿Por qué iba a ser un problema?

Lo miró a los ojos y enseguida se dio cuenta de que no debería haberlo hecho. Aquellos ojos tan oscuros, tan profundos, tan masculinos... A Kree se le olvidó lo que iba a decir y de qué estaban hablando.

–¿Tienes que presentar esto el lunes?

–¿Eh?

–Los papeles del banco. ¿Tienes que presentarlos el lunes?

–No, no... puedo hacerlo más tarde.

–Pienso llevarme a Torie, así que te librarás de ella durante un par de días.

–¿Tienes que llevártela? Podría quedarse conmigo.

Seb hizo una mueca.

–No, no creo que sea buena idea.

No, claro que no. De hecho, había sido

una de sus peores ideas. Además, Seb no confiaba en ella.

–No es nada personal –dijo él entonces.

–¿De verdad?

–¿Crees que debería recompensar que se haya puesto el pelo de colores dejando que se quedara contigo unos días?

–¿Recompensar? Tú no has probado mis comidas –rió Kree.

Seb seguía mirándola, muy serio. Y ella empezó a ponerse nerviosa. ¿Por qué no hacía algo, por qué no decía algo?

¿Por qué no la besaba?

Pero no lo hizo.

–¿Sabes una cosa? Estoy un poco harta.

–¿De qué?

–De esta historia nuestra. Me miras como si quisieras comerme a bocados, pero no haces nada. Es como si, de repente, apagases un interruptor. Si tienes tanto dominio de ti, ¿por qué no lo usas antes de mirarme con esa cara...?

Él se quedó perplejo.

–No me presiones, Kree.

Ah, menuda tentación. Presionarlo. Poner la mano en su pecho y acariciar aquel vello oscuro... Pero no lo hizo.

–Te excito y eso te molesta, ¿verdad?

Seb apretó los dientes.

–Tú no tienes ni idea de lo que me gusta o me excita.

–¿Y por qué no me lo dices, Sebastian? Siento mucha curiosidad. No has tenido ningún problema para echarme una bronca por el pelo de tu hija, así que cuéntame esto también. Venga...

Seb no la dejó terminar. La aplastó contra su pecho y buscó su boca, dejándola sin aire. Entonces Kree se preguntó por qué lo había tentado, por qué lo había forzado a llegar al límite.

Durante unos segundos disfrutó de la caricia, dejando que la explorase con su lengua, que la obligase a abrir los labios, se dejó seducir por aquel asalto carnal. Sabía a café... y a hombre. Se dejó seducir por la idea de quitarle el polo y acariciar sus abdominales, sus bíceps, pasar el dedo por la línea de vello que se perdía bajo los vaqueros...

Entonces sintió los nudillos del hombre rozando su estómago. Los nudillos, porque seguía teniendo los papeles en la mano. A pesar de aquella explosión de deseo, no había soltado los papeles.

Entonces notó que tenía los pezones duros. Tanto que si se ponían un poco más duros se le saldrían del pijama.

También lo había notado él, que deslizó un dedo perezoso por encima de la camiseta. A Kree le gustó. Le gustó tanto que estuvo a punto de rogarle que lo hiciera otra vez. Pero mucho más despacio.

–Ahora lo sabemos los dos –dijo él con voz ronca.

–¿Qué sabemos?

–Lo que nos excita.

Como si ella no lo hubiera sabido desde el principio, desde que la miró a los ojos aquel día, en el jardín.

–¿Y necesitábamos esta demostración?

–No. Pero no sé por qué, tú siempre consigues que actúe... de forma imprudente.

–Ah, ¿entonces es culpa mía?

Seb soltó una carcajada.

–Al contrario. Ha sido culpa mía por pensar que besándote podría hacerte callar.

Seb no quería pensar en lo que había pasado el sábado por la noche. Pero durante los días siguientes se concentró en el resultado de aquella reunión en la cocina de Kree O'Sullivan.

Por supuesto, la idea de trabajar en la peluquería había deleitado a Torie, que estaba más que dispuesta. Tanto que había prometido no volver a hacer experimentos con su pelo y no volver a incordiarlo con lo de hacerse un piercing.

Todo por culpa de una peluquera a la que él había subestimado. Divertida, caprichosa, cándida, bocazas, sí, todo eso. Pero a Kree O'Sullivan le importaba mucho su trabajo y sus clientes... incluso una adolescente a la que apenas conocía.

Ese era el mensaje importante del sábado por la noche. Por eso había decidido ayudarla con el crédito. No por curiosidad, no por interés, sino por gratitud. Le agradecía inmensamente su simpatía por Torie.

«A veces les doy algo que ni ellas esperaban».

Esas palabras se repetían en su cabeza una y otra vez.

Seb dejó escapar un suspiro mientras cerraba las cortinas de su habitación. Él sabía lo que quería en aquel mismo instante: quería que su hija apareciera en el porche para no tener que ir a buscarla. Diez minutos después de llegar a Plenty, había bajado a casa de Kree y aunque dijo que «sólo iba a decirle hola» llevaba hora y media allí.

La solución más simple: llamar por teléfono. Además, tenía que hablar con ella para darle los papeles. ¿Por qué no matar dos pájaros de un tiro?

Pero cuando empezó a marcar el número de Kree, los latidos de su corazón lo dejaron perplejo. ¿A quién intentaba engañar? Quería verla.

¿Y por qué no? ¿Por qué no usar la excusa que tenía? ¿Por qué no probarse a sí mismo, y a su vecina, que podía pasar diez minutos charlando civilizadamente con ella... sin comérsela a bocados?

Capítulo Ocho

Seb llamó al timbre y esperó. El gato lo miraba desde una esquina con cara de pocos amigos, moviendo la cola como una siniestra amenaza.

–Hoy no puedes arañarme. Llevo pantalón largo.

No abrieron la puerta y Seb volvió a llamar.

–¿No hay nadie en casa?

Torie asomó la cabeza por una ventana, gritando: «¡Estamos aquí, en la habitación de Kree!».

Suspirando, él empujó la puerta.

–¿No habías dicho que sólo venías a decirle hola?

–Sí, pero es que estoy probándome la ropa de Kree. ¿A que esta camisa es divina?

Su hija estaba sentada en la cama, con una camisa de cuadros y unos pantalones cortísimos. Ahora entendía que Gizmo estuviera en el jardín...

–Muy bonita, sí.

–Espero que no te importe. Es que estábamos jugando un rato –sonrió Kree, que salía del baño en ese momento.

Al verla, el recuerdo de aquel beso le hizo tragar saliva. Jugando, sí, pero no tanto como habían jugado ellos aquella noche...

–Estábamos buscando algo para la fiesta.

–¿Qué fiesta?

–La del viernes por la noche. La fiesta de la Cámara de Comercio.

–¿Piensas ir, Torie?

–¡Claro!

–¿Tú no quieres ir? –preguntó Kree.

–Me parece que no es el tipo de fiesta que le gusta a mi padre –suspiró Torie.

–Pues yo creo que sí. Irá todo el mundo. Todos los comerciantes de Plenty.

–Pero es en un bar. Con un karaoke –rió Torie–. Kree va a cantar en el karaoke, papá. Tienes que dejarme ir.

–¿A un bar?

–Por favor, papá. Iré con ella.

–Desde que hice aquel numerito con la canción de Olivia Newton John, me lo piden todos los años –rió Kree–. Mi compañero era Paul Dedini, por cierto.

–¿Y con quién vas a hacerlo este año?

–No lo sé –contestó ella, mirándolo a los ojos.

Seb carraspeó.
–Torie, es hora de volver a casa.
–Pero...
–Kree tendrá que aguantarte toda la semana. ¿No te parece suficiente?
Suspirando, Torie se levantó de la cama.
–Tengo que cambiarme de ropa.
–Puedes hacerlo en el baño.
Torie entró en el cuarto de baño y Kree se agachó para tomar algo del suelo... algo muy pequeño de encaje negro.
–¿Vas a ponerte eso para la fiesta? –preguntó Seb.
–Ni lo sueñes. A los vecinos les daría un ataque al corazón.
Y a él también, pensó Seb, con el corazón acelerado.
–¿Qué es, una braguita?
Kree soltó una carcajada.
–Más o menos. ¿Crees que me pondría algo así en público?
¿En público? Esperaba que no. Pero en privado, sí. La imaginaba tirada sobre la cama, con esa cosita de encaje negro sobre su piel de alabastro y el anillo en el dedo del pie...
Como si hubiera leído sus pensamientos, Kree lo guardó en un cajón y cerró de golpe.
–¿Han pasado a máquina mi solicitud?

Seb casi lo había olvidado.

–¿Puedes ir mañana a mi oficina?

–¿Algún problema?

–No, ya está todo listo. Sólo tienes que llevarla al banco.

–¿En serio? No sabes cómo te lo agradezco. Casi podría...

Kree no terminó la frase.

–¿Qué ibas a decir?

–Iba a decir que casi podría besarte –contestó ella, levantado orgullosamente la cabeza–. A menos, claro, que tú quieras besarme a mí.

¿Había alguna duda después de cómo casi la había devorado unos días antes?

–Los dos sabemos que la próxima vez no terminará en un simple beso.

Después de decirlo, Seb se dio la vuelta. Había hecho lo que tenía que hacer: ser amable con su vecina. Había conseguido controlarse.

Y no podía recordar cuándo fue la última vez que un éxito le había dado tan poca satisfacción.

Cuando entraba en la oficina a la mañana siguiente, Kree no quiso mirarse al espejo de la entrada. No quería comprobar si estaba guapa, no quería preguntarse si debería haberse cambiado de ropa o si debería haberse arreglado el pelo.

No quería preocuparse por lo que Seb Sinclair pensaba de ella.

Pero lo de la noche anterior... «tú sabes que la próxima vez no terminará en un simple beso».

No quería que le gustase Sebastian Sinclair. Pero le gustaba. Más que eso, ningún otro hombre la había excitado como él.

En la puerta, tuvo que llevarse una mano al estómago. Tenía que controlarse. Olvidar aquella tontería de «me gusta, no me gusta, quiero besarlo, no quiero besarlo», y concentrarse en la solicitud del crédito, que era lo único que tenían en común.

Pero cuando lo oyó decir: «Entra, Kree» perdió la concentración.

Seb llevaba un traje de chaqueta muy formal y una corbata oscura, pero no había nada formal en su mirada. Y a Kree le entraron ganas de gatear por encima del escritorio y quitarle la corbata con los dientes.

–Hola –consiguió decir–. Dijiste que querías hablarme de la solicitud...

–Sólo tienes que firmarla –dijo él.

–Si sólo tengo que firmarla, ¿para qué querías que viniera?

–Quería hablarte de los plazos mensuales.

Me he tomado la libertad de hacer un plan de pagos.

–¿Qué?

Kree había oído las palabras «plazos» y «plan», pero no entendía nada porque tenía la cabeza en otra parte.

–Que me he tomado la libertad...

–Eso ya lo he oído. ¿Por qué?

–Porque no quiero que estés en la misma situación dentro de doce meses.

–¿Porque tú no estarás aquí para ayudarme?

–No estoy hablando de mí, Kree. Estamos hablando de...

–Sí, ya lo sé, de mí. Pero no me gusta que hagan planes por mí.

–¿No estás exagerando un poco?

«Sí... no». Kree no sabía qué pensar. Sólo sabía que la mirada de aquel hombre hacía que su pulso se acelerase hasta un punto peligroso.

–Tienes razón, perdona. No quería ser tan grosera.

–No has sido grosera. Has sido impulsiva.

–Sí, bueno, eso también. Soy una persona impulsiva –suspiró ella.

–¿Por qué te ha molestado que hiciera un plan...?

–No lo sé. Porque el salón de belleza es lo

único que tengo. Porque lo levanté yo sola y me gusta hacer las cosas a mi manera.

–Si tanto te importa, ¿cómo has llegado a esta situación?

–Yo no he llegado a ninguna situación. Ya te lo dije, abrieron una peluquería nueva y...

–Ese es sólo un factor –la interrumpió Seb–. La verdad es que no le has prestado suficiente atención al tema económico.

–No, la verdad es que Tina era la encargada de la contabilidad y yo hace tiempo que no me dedico a ello.

–¿Tina Dedini? ¿No era peluquera?

–Sí, pero también hacía la contabilidad.

–¿Y confiabas en ella? –preguntó Seb.

–Tina es una de mis mejores amigas, fuimos juntas al colegio. Siempre confié en ella... incluso cuando me tomé un par de meses libres. ¿Por qué?

–¿Aunque su marido tenía problemas con el juego?

Kree lo miró, incrédula.

–No me puedo creer que seas tan paranoico.

–Prefiero decir que soy cauteloso. También yo confío en mis empleados, pero no hasta ese punto. No me gusta arriesgarme tontamente.

–Pero es que así es la vida. Uno no puede planear que van a atracarlo por la calle. No se puede predecir que tu mejor cliente de repente se quedará calva y no volverá por la peluquería. Hay cosas que no se pueden controlar.

–Pero se puede estar preparado. Esas son contingencias que uno debe tomar en consideración –insistió Seb.

–O puedes vivir día a día. ¿Cuándo fue la última vez que hiciste algo simplemente porque te apetecía? ¿Cuándo has hecho algo por impulso?

Seb la miró a los ojos. Y luego miró sus labios. Pero aquella vez Kree estaba preparada.

–Oh, no, no me refería a eso. Me besaste porque yo te provoqué... y porque querías hacerme callar. Eso no tiene nada que ver con un loco impulso.

–¿Es una invitación?

Kree decidió que era el momento de echar mano de un plan de emergencias y dio un paso atrás.

–Ven a la fiesta del viernes. No para relacionarte con los comerciantes de Plenty sino para tomar una copa, para pasarlo bien.

–No sé si podré.

–Ya, claro –sonrió Kree, abriendo la puerta.

–¿No olvidas nada?

–¿Qué?

Seb se levantó, con los papeles en la mano.

–La solicitud del crédito.

–Ah, sí.

–Disfruta de la fiesta, Kree. Seguro que tú lo pasarás bien por los dos.

Seb pasó las siguientes veinticuatro horas recitando todas las razones por las que no debería ir a la fiesta de la Cámara de Comercio.

Y sin embargo, al día siguiente allí estaba, con una cerveza en la mano, esperando que Kree subiera al escenario.

Cuando lo hizo, con un vestido rojo que se ajustaba a su cuerpo como una segunda piel, tuvo que tomar varios tragos de cerveza fría. No cantaba como un ángel, pero tenía una forma de moverse, de acariciar el micrófono...

Tuvo que salir fuera un rato para controlarse. Aunque quizá ella tenía razón. Quizá había olvidado cómo pasarlo bien.

Poco después volvió a entrar para pedir otra cerveza y decidió intervenir en una conversación sobre coches que le resultó mucho más amena que hablar de cifras. Casi relajado por primera vez en mucho tiempo, se volvió hacia la barra para pedir otra ronda y vio algo rojo... rodeado por un montón de admiradores.

–¿Conoces a Kree O'Sullivan? –preguntó Cameron Quade, el hombre que estaba a su lado.

–Para conocerla habría que ponerse a la cola.

–Sí. Ella es el alma de la fiesta.

Estaba claro. Sobre todo, cuando vio que uno de los hombres le ponía la mano en la espalda. Eso lo enfureció. No sabía por qué. Quizá porque el vestido era tan ajustado que no podía llevar nada debajo. Y aquel hombre la estaba tocando...

Ella reía alegremente, despreocupada. Y cuando sus ojos se encontraron no pudo apartarlos. No podía disimular que estaba observándola.

Nervioso, levantó la botella de cerveza para saludarla y ella sonrió, haciéndole un guiño. Poco después, el manazas se colocó delante y no pudo seguir mirándola.

Entonces descubrió que era McTaggart, el tipo que había rechazado su oferta de trabajo. Cuando se volvió para mirarlo, Seb se percató de que estaban hablando de él. Y seguramente mal.

Furioso, se acercó al grupo y la tomó del brazo.

–Quiero hablar contigo.

Sin decir una palabra más, la llevó hacia el callejón.

–¿Se puede saber qué haces? –exclamó ella–. ¿Adónde me llevas, Sinclair?

–Estoy siguiendo tu consejo –dijo Seb, empujándola contra la pared–. Estoy actuando por impulso. Voy a besarte, Kree. Voy a besarte porque me apetece.

Capítulo Nueve

Aquel gesto pilló a Kree completamente por sorpresa. Y sus besos en el cuello la excitaron de tal forma que tuvo que cerrar los ojos, esperando que no se le doblaran las rodillas.

Aunque no iba a caerse al suelo porque Seb la sujetaba por la cintura. Subiendo las manos hacia...

–¿Qué haces? ¿Te has vuelto loco?

–Probablemente –murmuró él–. Aunque la culpa es tuya.

–¿Y eso?

–Tú me retaste a venir a la fiesta.

–Pero si no te has acercado a mí en toda la noche...

–No pensaba hacerlo.

–No me has invitado a una copa.

–Te han invitado todos los demás, ¿no?

–Entonces, ¿qué estás haciendo...?

Besarla. La estaba besando y aquel hombre sabía besar. No sólo con los labios, sino con toda la boca, con un calor y una pasión que la dejaban mareada. Aquella noche no parecía él mismo. Ni cuando lo pilló mirándola en el bar ni ahora, con su lengua haciéndole el amor y sus dedos acariciando sus pechos por encima de la tela del vestido.

Cuando por fin se apartó, Kree tuvo que apoyarse en la pared. Necesitaba algo sólido en lo que apoyarse. Necesitaba un ancla para recuperar el control. Necesitaba indignarse, se dijo.

–¿Se puede saber qué haces?

–¿No querías que me dejase llevar?

–Me has arrastrado hasta un callejón...

–Ya lo sé.

–Lo que me extraña es que no haya salido nadie.

Como si estuvieran esperando que lo dijera, la puerta del bar se abrió en ese momento y una pareja se chocó con ellos.

–Ah, perdonad –se disculpó Dean Mancini.

–No te habíamos visto, Kree –murmuró Shanelle Cody.

–Esos también van buscando un rincón oscuro –suspiró ella, irritada. Al día siguiente sería el cotilleo de la peluquería de su rival: «¿Un hombre nuevo en el pueblo?». «Por supuesto, tenía que ser para Kree O'Sullivan, como siempre».

–No te he traído aquí para esto. Te dije que quería hablar contigo.

–¿Ah, sí? Pues a mí me resulta difícil hablar cuando alguien me está metiendo la lengua en la boca.

Seb la tomó de la mano, murmurando una palabrota.

«Oh, no, más tácticas de neandertal, no», pensó Kree, clavando los tacones en el suelo.

–¿Adónde vamos ahora?

–A algún sitio donde podamos estar tranquilos –contestó él, abriendo una puerta. Era una oficina o una trastienda.

–No me parece buena idea.

–No tardaré mucho.

–A ver, ¿por qué quieres echarme la bronca? –suspiró Kree.

–Tú y tu amigo en el bar...

–¿Qué amigo?

–El que te ponía la mano en la espalda.

–¿Tagg? No es exactamente un amigo.

–¿De qué estabais hablando?

–¿Esto qué es, un interrogatorio?

–No me gusta que hablen a mis espaldas.

–No estábamos diciendo nada. Tagg se enteró de que habías alquilado mi casa y quería saber qué estaba pasando –suspiró Kree.

–¿Entre nosotros?

–¡No, por favor! A Tagg no le interesa

nada mi vida amorosa. Quería saber por qué habías despedido a Paul Dedini.

–¿Se lo has contado?

–¿Qué? ¿Que sospechas que Paul y Tina están ahora mismo en el Caribe gastándose el dinero que se han llevado de Heaslip? –replicó ella, irónica–. No, no le he dicho nada. Es nuestro secreto, ¿recuerdas?

–¿Te ha contado que le ofrecí un puesto de trabajo?

–Sí. Y Tagg me ha dicho que lo rechazó.

–¿Te hubiera gustado que aceptase?

–¿Para qué, para ver a mi ex frente al salón de belleza todos los días? No, gracias.

–¿Tu ex? –repitió Seb.

–¿Te sorprende que tenga un ex?

–Me sorprende que te lleves tan bien con él.

¿Porque él no se llevaba bien con su ex mujer? ¿O con sus ex amantes? Lo imaginaba diciéndoles adiós con aquella mirada fría en los ojos... Kree sintió un escalofrío en la espalda. ¿Una premonición? Ridículo. Ella no iba a ser una de sus ex.

–Pues sí, ese era Tagg –dijo, cuando consiguió aclararse la garganta–. Siempre encantador cuando quiere algo.

–Pues a ti parecía gustarte mucho que fuera encantador.

Ella lo miró, sorprendida. ¿Tenía celos? No, no podía ser.

–Bueno, si no quieres nada más, me apetece volver al bar.

Seb estuvo cinco segundos parado. Lo sabía porque los había contado. Cinco segundos, cinco latidos de su corazón.

–¿Te importa? –dijo Kree entonces–. No me dejas pasar.

–¿No vas a contestar a mi pregunta?

–¿Sobre si me gusta que Tagg sea encantador? No creo que eso sea asunto tuyo.

Por fin, Seb se apartó de su camino.

«Tranquila, chica», se dijo. «Vuelve al bar como si no hubiera pasado nada, vuelve con tus amigos, donde no tienes que morderte la lengua ni medir tus respuestas».

Pero no pudo salir. No podía marcharse dejando que Seb pensara que jugaba con su ex o con cualquier hombre que la invitase a una copa.

–Tuviste la impresión de que lo estaba pasando bien con Tagg porque sabía que tú estabas mirando –dijo, con toda sinceridad–. No me habías hecho caso en toda la noche y pensé que así reaccionarías.

Y lo consiguió.

Seb apoyó las manos en la puerta, una a cada lado de su cabeza.

–Suéltame –murmuró Kree.

–No te estoy agarrando.

–Da igual...

–No vas a irte de aquí después de haber soltado esa bomba –murmuró él–. ¿Esta es la reacción que esperabas, Kree? Admítelo, querías que fuera a por ti. Querías que te sacara del bar, querías que te aplastara contra la pared y te besara hasta dejarte sin sentido... Admítelo, Kree. Me deseas.

«Sí, sí, sí», hubiera querido decir ella. Sobre todo cuando Seb inclinó la cabeza para morderle el cuello.

–Dilo, Kree.

–Sí, quería que me besaras. Pero ya lo has hecho.

–¿Recuerdas lo que te dije en tu casa esa noche? ¿Cuando nos besamos?

–Sí –murmuró ella, con el corazón acelerado. Y con la certeza de que quería algo más que un beso. Mucho más que un beso–. Yo también quiero algo más.

Lo había dicho mirándolo a los ojos, pero sintió miedo. Y cuando intentó darse la vuelta, Seb la detuvo.

–No te muevas –musitó con voz ronca, deslizando las manos por su espalda.

Estaba desabrochando su vestido...

Y Kree le dejó hacer. Y sintió que el vestido se deslizaba hasta el suelo.

–Tenía razón –dijo él entonces.

A pesar de la oscuridad, Kree sintió vergüenza y se cubrió los pechos con las manos.

–¿Sobre qué tenías razón?

–Sabía que no llevabas nada bajo el vestido –contestó Seb, besándola de nuevo en el cuello. Era una caricia tan seductora, la situación era tan erótica... Encerrados en una oficina, a oscuras, sintiendo las manos del hombre sobre su cuerpo, su voz ronca al oído...

–¿Eso te excita?

–Mucho –contestó él. Y se lo probó frotando su entrepierna contra ella hasta que a Kree se le doblaron las rodillas. Deseaba tocarlo, deseaba acariciar aquel torso, con sus abdominales marcados y la fina línea de vello que desaparecía bajo el pantalón... Y sus muslos. Pero no era suficiente mientras llevase el pantalón.

Kree gimió de frustración, mientras disfrutaba del roce de sus cuerpos. Cuando abrió los ojos se dio cuenta de que la habitación no estaba completamente a oscuras. A través de la ventana entraba un rayo de luz del callejón... Y cómo deseaba ver el cuerpo desnudo de Seb. Quería trazar sus pectorales con la lengua, saborear su piel. Lo deseaba con todo su ser y era más importante que la timidez, que la vergüenza.

–Tengo que tocarte –murmuró, desabrochando su camisa.

Cinco botones, contó. Cinco botones la separaban de la piel de aquel hombre, de los diminutos pezones oscuros. Tenía que besarlo, tenía que chuparlo antes de que el sentido común la hiciera salir de allí corriendo.

Pero no podía concentrarse teniendo la mano de Seb entre sus piernas. ¿Cómo iba a concentrarse en desabrochar los botones de la camisa cuando él estaba apartando sus braguitas y... acariciando su parte más íntima?

Seb la besó entonces, sus lenguas bailando una danza primitiva mientras ella se frotaba contra esa mano. En silencio, Kree le rogó que la amara, que la llenase, que la hiciera olvidarlo todo y le recordara la diosa que siempre había querido ser. Ciegamente, alargó la mano para acariciarlo por encima del pantalón hasta que no pudo soportar el impedimento de la ropa por más tiempo.

Sus manos se encontraron, apresuradas, abriendo botones, bajando cremalleras. Él apretó su mano contra su cuerpo y Kree envolvió la dura columna de su miembro. Sintió la reacción del hombre en su interior, una ola de placer que la mareó, que la hizo sentir como si el suelo se hubiera abierto bajo sus pies.

Pero no se había abierto bajo sus pies; Seb la había levantado en brazos, apoyándola contra la puerta... para penetrarla sin más miramientos. Se quedó allí, anclada a él, sin aliento, perpleja. Cuando lo miró a los ojos vio en ellos la misma perplejidad. Como si tampoco él entendiera como habían llegado a ese punto.

Sentía las manos del hombre apretando sus caderas y sintió también que intentaba apartarse. Pero no podía permitírselo, no porque podría ser la última vez que lo hicieran.

–No te atrevas a apartarte, Sebastian Sinclair –dijo, entre dientes, moviéndose un poco, acomodándose a aquella increíble penetración.

–¿Crees que puedo parar? Si pudiese parar... créeme, lo habría hecho.

–Lo sé –suspiró Kree. Pero estaba perdida en la pasión de sus ojos, en el poder de sus embestidas–. Lo sé...

No sabía cómo contener el temblor, cómo parar aquel sentimiento que empezaba a nacer en ella y que no tenía nada que ver con el placer que le producía tener dentro a aquel hombre. Y cuando sintió que perdía el control del todo, cuando sintió explotar en su interior un río de lava, no pudo pensar nada más.

Retuvo su cara entre las manos, besándolo mientras se estremecía con el orgasmo, mientras temblaba entre sus brazos. Y entonces, con una fuerza increíble, Seb lanzó la última embestida y Kree sintió que se derramaba en su interior lanzando un grito gutural.

En el pasado, para Kree nunca había sido un problema enfrentarse con sus errores. Después de todo, tenía mucha práctica. Pero hacer el amor con Sebastian Sinclair en la trastienda del bar debía ser el error más estúpido que había cometido en toda su vida.

Menuda forma de olvidar su pasado, menuda forma de portarse como una mujer adulta.

De buena gana se habría quedado en la cama todo el día. Pero no podía ser. Tenía que levantarse e ir a la peluquería. Y estar dándole vueltas a un error hacía que a una le temblasen las manos, lo cual era un problema cuando *una* estaba haciendo una permanente.

–¿Lo pasaste bien anoche? –le preguntó la señora Grayson, guiñándole un ojo.

–Ya me conoce, señora Grayson. Siempre estoy en la cama a medianoche.

–¿Sola? –rió la mujer.

Entonces Kree recordó lo que pasó después. La expresión de desolación en el rostro de Seb. Y lo que ella dijo: «Parece que, después de todo, no sólo querías hablar».

Idiota, idiota, idiota.

Se le cayó una pinza y cuando se incorporaba, su monumental error se había materializado delante de ella. Con un traje de chaqueta oscuro, como casi siempre, parecía absolutamente tranquilo, mientras ella...

¿Podría volver a mirar los botones de su camisa con tranquilidad? ¿Podría mirarlo a los ojos sin morirse de vergüenza?

–El padre de Torie quiere hablar contigo, Kree.

El padre de Torie. Claro. Torie no había ido a trabajar aquel día. De modo que iba a verla para decirle que su hija no volvería por allí.

–¿Puedo ayudarte en algo? –preguntó, fingiendo una frialdad que no sentía.

–Necesito hablar contigo.

Las mismas palabras de la noche anterior. Pero diferente resultado, claro.

–Podrías haberme llamado para decir que Torie no iba a venir. La verdad es que estoy liadísima... Y no pasa nada, entiendo que hayas cambiado de opinión. Dile que me ha encantado tenerla aquí.

–¿Ahora tienes telepatía?

–¿Qué?

–¿Cómo sabes que Torie no va a venir? Hemos estado dos horas discutiendo el asunto y si no fuera porque está llorando en su cama habría venido ella misma a decírtelo.

–¿Está llorando? ¿Por qué?

–Parece que su madre quiere llevársela de vacaciones –suspiró Seb–. Pero no era de eso de lo que quería hablarte.

–¿Quieres hablar ahora? ¿Cuando anoche no tenías nada que decir?

–Anoche... ¿podemos hablar en algún sitio más tranquilo? Esto es importante, Kree.

–Lo siento, yo tengo que aclararle el pelo a una clienta. Eso sí es importante.

–Ah, muy bien –dijo Seb entonces, volviéndose para mirar el libro que había sobre el mostrador de recepción.

–¿Qué haces?

–Ponerme a la cola –contestó él tranquilamente.

–Lo siento, pero hoy no puedo peinarte. Señora Grayson, voy enseguida –dijo Kree entonces, dándose la vuelta.

Cuando levantó la mirada dos segundos después, sintió una mezcla de alivio y desilusión. Seb se había ido.

Capítulo Diez

Seb se marchó, pero volvió por la tarde, a las cinco, la hora a la que sabía que cerraba el salón de belleza. Torie había bajado para ayudarla un rato y las vio por el cristal del escaparate, riéndose y bailando mientras pasaban la escoba.

«A veces les doy algo que ni ellas esperaban».

Sí, eso era exactamente lo que hacía Kree O'Sullivan. Seb sintió una punzada en el corazón, una respuesta que atribuía al drama tras la llamada de Claire. Torie no quería marcharse después de haber cambiado de planes y Seb la entendía.

Pero se marcharía a Londres el lunes porque su madre tenía derecho a pasar parte de las vacaciones con ella.

«¿Seguro que lo haces por el interés de tu hija, Seb?», se preguntó a sí mismo. ¿O tendría que ver con su interés por Kree O'Sullivan? ¿Lo había hecho para ponerse en sus manos, para conseguir algo que ni siquiera él esperaba? ¿Para repetir lo de la noche anterior, pero sin la ferocidad, sin la falta de control y, sobre todo, sin ese final perplejo y silencioso?

Poco después, entró en el salón de belleza.

–¿Has terminado, Torie? –preguntó, sin dejar de mirar a Kree–. Es hora de irnos.

Las vio despedirse, vio llorar a su hija porque le decía adiós a una joven peluquera a la que había conocido unos días antes. No podía mirar. No quería identificar lo que estaba sintiendo. No quería...

–Papá...

–Dime.

–Voy a subir por mi maleta. Bajo enseguida.

Kree y él se miraron, en silencio.

–Antes te dije que quería hablar contigo.

–Torie me ha contado que se marcha a Londres. La pobre está hecha polvo, pero creo que la he convencido de que es más divertido ir de compras por Londres que estar aquí barriendo pelos.

–Ya me lo imagino –suspiró Seb–. Pero no quería hablar de eso. Quería hablar de nosotros.

–¿De nosotros? Si te refieres a lo de anoche, olvídalo.

–Si lo que quieres es provocarme, no lo hagas. Los dos sabemos que nunca sale bien.

–Si no quieres que te provoque, sugiero

que te marches –dijo Kree entonces, poniéndose en jarras–. No quiero hablar de *nosotros.* Y, especialmente, no quiero hablar de lo de anoche.

–No puedes hacer como si no hubiera pasado.

–Pasó, desde luego. Pero no veo necesidad de hablarlo.

–Una pena. Porque yo quiero pedirte disculpas te guste o no. Por portarme como lo hice... por cómo terminó.

–¿De verdad? –sonrió Kree, irónica.

–¿Te hice daño?

–No, Seb –contestó ella, impaciente–. Me lo preguntaste anoche y te contesté lo mismo. No y no.

Él recordó vagamente esas preguntas: «¿Te he hecho daño?» «¿Podrías quedar embarazada?».

No y no le había dicho Kree.

–Tenemos que hablar. Es la primera vez que no uso protección en quince años.

–¿Cuando engendraste a Torie?

–Sí. Aunque yo no supe de su existencia hasta nueve años después.

Kree lo miró, perpleja.

No había querido contárselo en aquel momento, pero... quizá necesitaba saber por qué le había preguntado eso por la noche. Quizá tenía que saber dónde había aprendido cuáles eran las consecuencias de perder el control. Y no había sido en la universidad.

–¿Tú no sabías nada?

–Ni siquiera recordaba a Claire. Aparentemente, nos conocimos en una fiesta, pero yo estaba borracho como una cuba.

–O sea, que fue una noche.

–Menos que eso. Fue un revolcón y una llamada de teléfono nueve años después.

–¿Por qué? ¿Por qué te llamo tantos años después?

–Su marido descubrió que no era el padre de Torie y la echó de casa –suspiró Seb–. Como a Claire no le gusta estar sin un hombre, se puso en contacto conmigo.

–Evidentemente, ella sí se acordaba de ti. ¿Por eso viniste a Australia? Porque tú no eres australiano.

–No, yo nací en Londres. Y sí, por eso vine a Australia.

–Supongo que para ti fue una decisión difícil.

–No había nada que decidir. Tenía una hija.

–¿Y te casaste con Claire?

–Eso es. Pensé que así todo sería más fácil para Torie.

–Claro. Supongo que para una niña habría sido difícil encariñarse con un padre que vivía a tres mil kilómetros de distancia.

–Por eso me casé con Claire. Para no perder a mi hija.

–Tu matrimonio... salió mal, claro –suspiró Kree.

–Supongo que tú conoces a Claire.

–Sí, pero creo que mi opinión no cuenta.

–¿Por qué?

–Digamos que... a Claire nunca le caí bien.

–¿Se metía contigo?

–Un poco. Y, más tarde, se metía con mi hermano. Ha habido muchas peleas entre tu ex y los O'Sullivan.

–Sin embargo, te hiciste amiga de Torie enseguida.

–¿Por qué no? Es una chica estupenda. No se parece nada a su madre.

–Todos intentamos luchar contra la genética –suspiró Seb.

–¿Tú también?

Él no contestó. En lugar de hacerlo, se quedó mirando aquellos ojos azul cielo. Un hombre podía perderse en esos ojos, buscando los fantasmas de su infancia, intentando descubrir sus miedos, sus temores.

«¿Contra qué estás luchando tú, Kree?». «¿Cuáles son tus cicatrices?».

–Luchando contra la genética, yo aprendí a responsabilizarme de mis acciones.

–Sí, bueno, pero no tienes que sentirte

responsable por lo de anoche. Yo no puse ninguna objeción.

«No te atrevas a parar, Sebastian Sinclair», le había dicho.

–¿Y si quedases embarazada?

–Ya te lo dije anoche: no hay ninguna posibilidad.

–¿Y si ocurriera?

–No va a ocurrir. Nunca. ¿Lo entiendes? –dijo Kree entonces, mirándolo a los ojos.

–No, no lo entiendo. Yo te he contado mi historia. ¿Cuál es la tuya?

–Problemas femeninos, sencillamente. No creo que tenga que darte detalles. Lo único que debes saber es que no puedo quedarme embarazada, así que no tienes que preocuparte por haber pasado la noche conmigo.

–No pasamos la noche juntos, cariño.

–Era una forma de hablar... cariño –replicó ella, enfadada–. Y ahora, si no te importa, tengo que acabar de limpiar todo esto o no podré irme a casa nunca.

–¿De verdad crees que hemos terminado? ¿Que voy a marcharme así?

–Por supuesto.

«Qué mentirosa eres, Kree O'Sullivan».

Seb alargó la mano para tocar su cuello.

–No me había fijado.

Un chupetón. Un poco tapado por una capa de maquillaje. Cosa de críos, pensó.

–No quiero que esto termine, Kree. ¿Y tú?
Ella negó con la cabeza.
–¿Cierras el salón en Navidad?
–Sí.
–¿Por qué no vienes conmigo a Sidney?
Por un momento, Kree pensó que había oído mal. Después de todo, estaba distraída con sus labios, esos labios que la noche anterior... Pero al mirarlo a los ojos supo que no había oído mal.
–¿Ir a Sidney contigo? Lo dirás de broma.
–No, lo digo completamente en serio. Me voy de Plenty dentro de una hora.
–¿Y?
–Torie se irá a Londres el lunes y yo me quedaré en Sidney cinco días.
–¿Y luego?
–Me iré a Londres para ver cómo está mi hija. No me fío de Claire. Además, quiero visitar a mi familia. Torie hace dos años que no ve a sus abuelos –contestó Seb.
–¿Y tu trabajo? ¿Y Heaslip?
–Aún no hemos encontrado un nuevo director, pero lo tendré después de Navidad.
Kree se lo pensó un momento.
–Lo siento, pero yo paso las navidades con mi hermano y su mujer.
–Tú no eres una mujer tradicional. O eso creía.

–No lo soy, pero me gusta estar con mi sobrina en Navidad.

–No te echarán de menos.

–Lo sé, pero me gusta soñar.

Cuando lo miró a los ojos le pareció ver un brillo de... ¿vulnerabilidad? No, Sebastian Sinclair no era un hombre vulnerable.

–¿Y tú, Seb? ¿Tú vas a echarme de menos?

Entonces vio el deseo brillando en sus ojos. Un deseo que no podía enmascarar.

«Serás tonta. Está pensando en sexo». «¿En qué otra cosa iba a pensar?». «Soy tonta, tonta, tonta».

–¿Puedo hacerte cambiar de opinión? –preguntó él.

El corazón de Kree dio un vuelco. Pero no, no iba a hacerle caso, no iba a rendirse. No iba a creerse Cenicienta.

–Yo creo... creo que somos muy diferentes, Seb. No puede haber nada entre nosotros.

–Lo de anoche fue algo.

–Lo de anoche fue... intenté provocarte y tú querías demostrarme que podías dejarte llevar. Y los dos somos demasiado testarudos como para dar marcha atrás.

Seb dejó escapar un suspiro.

–Eres la mujer más exasperante que he conocido en mi vida.

–Y, sin embargo, quieres que vaya contigo a Sidney.

–Sí.

Qué tentadora era esa sinceridad.

–Digamos que acepto. Digamos que voy a tu casa y pasamos una noche juntos. ¿Lo lamentarías después?

–Seguro que sí.

–¿Entonces?

–No tengo ni idea. Me provocas, te ríes de mí. Me vuelves loco y no lo puedo evitar. Quiero pasar algún tiempo contigo, Kree. Y no sólo una noche.

Más sexo. Por supuesto. Por un momento, había albergado esperanzas... pero todo estaba cayendo en su sitio.

–Ya, claro, seguro que en tu casa lo pasaríamos muy bien, pero yo no...

No pudo terminar la frase porque Seb la besó. Así, de repente. Un beso para hacerla callar.

–¿Te he dicho que eres la mujer más provocativa, más irreverente y más exasperante que he conocido nunca?

–¿Te he dicho yo que usas demasiadas palabras raras?

Seb sonrió, antes de darle un beso en la nariz.

–Te llamaré.

–No hace falta. No pienso ir a Sidney. Además de mi familia, tengo que pensar en Gizmo.

Kree lo intentó, pero no pudo terminar de limpiar. Debería estar enfadada con Seb. Pero estaba enfadada consigo misma por sentirse tentada de aceptar su oferta.

«Te llamaré».

¡Ja!

Estaba tan angustiada que decidió hablar con alguien. Pero cuando llamó a su cuñada, saltó el contestador.

–Julia, soy yo. Por favor, pásate por mi casa cuando puedas. Estoy hecha una mierda y...

–No deberías dejar esos mensajes –oyó entonces la voz de su hermano–. En esta casa hay niños.

–Ya, bueno. ¿Dónde está la adulta de esa casa?

–Nadando. ¿Quieres que le diga que te llame?

–No, déjalo. Se te olvidaría, como siempre. Voy a buscarla a la piscina. Ah, por favor, borra la cinta. No quiero que mi sobrina Bridie oiga palabrotas.

Iba a salir del salón cuando vio que tenía un mensaje en el móvil. Era una dirección... la de una residencia para gatos.

Kree soltó una carcajada.

Capítulo Once

–¿Seguro que no hay más cosas, Torie? –preguntó Seb, irónico.

Llevaba media hora oyendo a su hija corretear por el piso de arriba, diciendo: «ay, que se me olvida esto». «Ay, que se me olvidaba lo otro».

Estaba haciendo tiempo, lo sabía. Quizá esperando que ocurriese un milagro y no tuviera que irse de Plenty.

Como él. Que no podía dejar de mirar hacia la puerta de Kree, esperando que ella saliera con una maleta.

–Vamos, Torie. Sube al coche de una vez. Si se te ha olvidado algo, seguirá aquí cuando yo vuelva.

–No sé por qué te sienta tan mal marcharte. Ni siquiera te gustaba vivir aquí.

–¿Quieres que te recuerde lo que tú dijiste el primer día? –sonrió Seb, mientras arrancaba la furgoneta.

Cuando sonó su móvil, Torie se lanzó a contestar, pero él fue más rápido.

–Es un mensaje. Para mí.

Decía: *Gizmo no está seguro. Quiere ver el menú.*

Luego llegó otro mensaje:

¿Los empleados llevan pantalones cortos?

Seb no pudo contener una carcajada. Quizá sólo estaba tomándole el pelo. O quizá había cambiado de opinión.

–¿De qué te ríes? –preguntó Torie.

–Una broma.

–¿De quién?

–De una amiga.

–¿Ah, sí? No sabía que tuvieras amigas.

–Hay muchas cosas de mí que no sabes –replicó Seb, mientras devolvía el mensaje.

–De todas formas, me gusta verte reír.

–Supongo que tú también piensas que debería divertirme más –sonrió él.

–No te sentaría mal.

Exactamente. Eso era lo que pensaba hacer. Y sólo necesitaba un poco de cooperación por parte de cierta peluquera de Plenty. Entonces sonó el móvil y, sin mirar, quién llamaba, Seb se lo puso en la oreja, sonriendo.

–Dime.

–Hola, soy Michael.

La sonrisa desapareció. Era Michael Bourne, el contable que había contratado para Heaslip.

–¿También trabajas los sábados por la tarde?

–Quería terminar con esto antes de las vacaciones.

–¿Has encontrado algo? –preguntó Seb.

–Nada importante. Falta algo de dinero en caja, pero nada más. ¿Quieres que compruebe los libros del salón de belleza?

Seb arrugó el ceño. Que los Dedini se hubieran ido del pueblo tan rápidamente seguía pareciéndole extraño.

–Sí, por favor. Aunque seguramente encontrarás lo mismo. Que disfrutes las vacaciones.

–Usted también, jefe.

–Eso pienso hacer.

–Ya está bien de castigarme –suspiró Kree después del cuarto largo. Pero se lo merecía por pensar en ir a Sidney.

Julia ya estaba tumbada en la toalla, riendo.

–¿Es por eso por lo que estás castigándote? –preguntó, señalando el chupetón que tenía en el cuello.

–Ojalá sólo hubieran sido unos besitos.

–Entonces, ¿Seb fue a la fiesta?

–Desde luego.

–¿Y qué pasó? –preguntó su cuñada.

–Ya te lo puedes imaginar... Y me ha pedido que vaya con él a Sidney a pasar las navidades.

–Eso suena bien.

–No sé yo... Me apetece, pero Sebastian Sinclair cree que sólo soy eso, una chica con la que pasarlo bien.

–Eso es lo que quieres que piense la gente, ¿no? Que sólo quieres divertirte. Pero a lo mejor Seb quiere conocerte mejor.

–Sí, seguro. Yo creo que piensa pasar todas las vacaciones en la cama.

–En la cama también se puede hablar.

Kree levantó los ojos al cielo.

–Por favor...

–Te gusta mucho, ¿verdad?

–Creo que podría gustarme muchísimo. Pero somos tan diferentes... Él vive en Sidney, en la mejor zona de Sidney, seguro. Su familia vive en Inglaterra y seguramente serán lord y lady no sé qué, con sus mayordomos y sus establos. De verdad, no debería haberme acostado con él –suspiró Kree.

–¿Y por qué lo hiciste?

–Porque entre nosotros hay una química increíble. Pero sólo es porque somos opuestos. Él dice que le vuelvo loco.

Julia sonrió.

–Eso no es tan malo.

–¿Cómo que no?

–¿Piensas olvidarte de él sin haber intentado conocerlo?

Kree la miró, pensativa.

–¿Crees que debería ir?

–Sólo digo que lo de ser opuestos no es una tragedia. A tu hermano y a mí nos ha ido bien, ¿no?

–Porque tienes muy mal gusto –suspiró Kree–. No sé por qué te pido consejo.

–Luego harás lo que te dé la gana, como siempre –sonrió Julia.

Kree no miró su móvil hasta que volvían a casa. Y cuando miró la pantalla, le dio un vuelco el corazón.

–¿Qué pasa? ¿Malas noticias? –preguntó Julia.

Seb no había contestado la pregunta sobre Gizmo. Ni sobre el mayordomo. Le daba una dirección. En Sidney.

–Probablemente –contestó Kree.

Dos días después, Kree estaba frente a esa dirección con la maleta en la mano y el corazón en la garganta. Durante el viaje, iba preparándose para encontrar una gran mansión cerca del puerto... pero no se había preparado para sentirse tan pequeña.

Era una casa de estilo mediterráneo, rodeada de jardines. Enorme. Lujosa. Una casa de ricos.

–¿Qué te parece, Gizmo? –murmuró, moviendo la cesta en la que llevaba al gato.

Gizmo no contestó porque, en fin, el gato no estaba muy contento.

–Me parece que esta casa no es para nosotros –suspiró Kree, mirando su escarabajo naranja aparcado bajo unos cipreses–. ¿Tú crees que un jaguar puede comerse un escarabajo? –bromeó entonces.

–Sólo si tiene mucha hambre.

Kree se volvió, sorprendida.

–Qué susto me has dado. ¿Dónde estabas escondido?

–¿Eso es lo que creo que es? –preguntó Seb, señalando la cesta.

–Me temo que sí. Es que no le gustó la residencia porque los empleados llevaban pantalones largos.

Seb sonrió. Llevaba un pantalón oscuro y una camisa de color azul claro que parecía hecha a mano por un sastre inglés. Carísima. Al contrario que su falda vaquera y su sencilla camiseta blanca.

«Mala elección, Kree». Y no sólo la ropa. Había sido mala elección ir a Sidney, ir a su casa.

–Deberías haber llamado antes.

–¿Ibas a salir?

–Iba a hacerlo, pero parece que mis planes han cambiado.

Kree tragó saliva. No debería haber ido. Aquel no era sitio para ella.

–¿Y esas iniciales? –preguntó Seb entonces.

–¿Qué?

–La matrícula de tu coche. KAOS 73. ¿Qué significa?

–Son las iniciales de mi nombre: Kree Amberline O'Sullivan. Y nací en 1973. No nos conocemos mucho, ¿verdad?

–Nos conocemos lo suficiente como para saber que vendrías sin avisar –sonrió él–. Y con el gato infernal, además. Pero no te conozco lo suficiente como para saber por qué estás nerviosa.

Y antes de que Kree pudiera contestar, Seb la besó. Un beso largo, apasionado. Cuando se apartó, ella estaba sin aire.

–Dame al gatito.

–¿Qué vas a hacer?

–Mi ama de llaves se encargará de él.

¿Tenía un ama de llaves?

–¿Sabe cuidar de un gato?

–La señora Craig sabe hacerlo todo.

–¿También tienes mayordomo, cocinero y jardinero?

–¿Eso es un problema?

–No, es que... mira, no me siento cómoda –suspiró Kree.

–Te acostumbrarás.

¿En tres días? Difícilmente. Ella no podría acostumbrarse a ese estilo de vida ni en tres meses.

–Lo dudo.

–Sólo es una casa.

–No, soy yo. Me siento intimidada.

–No sabía que algo pudiera intimidarte, Kree –sonrió Seb.

–Pues así es. Y eso prueba lo que he dicho antes, que no nos conocemos. Ni siquiera me conozco a mí misma muchas veces.

–¿No eres tú la que le da a la gente cosas que ni ellos mismos esperan?

Ella lo miró, sorprendida.

–Yo hablaba de peinados, Seb.

–¿Ah, sí? No lo creo. Tú haces que la gente se sienta a gusto, que se sientan felices. He visto el cambio que se ha operado en Torie. Además, deja de preocuparte. Estás aquí y yo quiero que estés aquí. Es así de sencillo.

–¿Y si quisiera marcharme?

–No vas a irte a ninguna parte –contestó él–. Tengo a tu gato.

Kree soltó una carcajada. A lo mejor se lo estaba tomando demasiado en serio. Quizá debía hacer como Seb y tomárselo como unas simples vacaciones, como unos días de diversión. Aunque la idea de tratar una relación con Sebastian Sinclair como algo meramente divertido casi la hacía reír más.

Cuando llegaron al vestíbulo, enorme, de mármol travertino, Kree miró alrededor.

–Impresionante.

–Esta noche te invito a cenar.

–¿Como una cita?

–Exactamente. Una forma muy tradicional de empezar una relación, ¿no?

Una relación. Esa palabra resonó en el corazón de Kree, electrificándola. ¿Sebastian Sinclair quería mantener una relación con ella? No un par de revolcones durante las navidades, sino una relación.

–No tienes que invitarme a cenar.

–Ya sé que no, pero quiero hacerlo. Voy a reservar mesa en el mejor restaurante de Sidney.

–¿Y qué haremos mientras tanto?

–Podría enseñarte la casa.

Fue un tour extraño. Kree no podía concentrarse en aquella casa que parecía sacada de una revista. Era preciosa, desde luego, pero fría. Una fachada, como la que Sebastian Sinclair presentaba ante el mundo, cuando por debajo había fuego y pasión.

–¿Quieres ver el piso de arriba? ¿O prefieres esperar hasta después de la cena?

–Ahora –contestó Kree. Definitivamente ahora, pensó, acariciando la barandilla de madera. No se volvió para ver si la seguía porque sabía que así era. Y sentía los ojos del hombre clavados en ella.

Cuando llegaron arriba, Seb la tomó de la mano. Después, pareció pensárselo mejor y la apretó contra su pecho.

–Hay algo que quiero enseñarte –dijo con voz ronca.

–¿Algo pequeño?

–Algo muy grande.

Kree sonrió.

–¿Muy grande?

–Enorme.

Entonces la tomó en brazos para llevarla hasta su habitación como si no pesara nada y, por una vez, se alegró de ser tan delgada.

–¿Y qué es?

Seb sonrió.

–Mi cama.

Capítulo Doce

No pudieron ir al restaurante porque se les hizo tarde. Era la primera noche y tenían demasiadas cosas que hacer en aquella cama tan grande. Demasiadas caricias, demasiados secretos por descubrir, demasiado territorio que explorar.

Por fin, cenaron, una cena fría en la terraza del dormitorio. Y eso marcó el patrón para los tres días siguientes: sólo salían de la cama para hacer incursiones en la nevera de la señora Craig y para dar de comer a Gizmo, que parecía encantado en su nueva casa. Luego nadaban en la piscina o salían a navegar un rato.

Y luego se metían en la cama y disfrutaban el uno del otro.

Excepto una cena en un restaurante, en un sitio llamado Wildfire donde Seb le dijo que no se sentiría intimidada.

Eran sólo unas vacaciones, se decía Kree a sí misma. Sólo estaban pasándolo bien juntos. Pero, en su corazón, no podía evitar albergar esperanzas.

Durante la última noche, antes de que Seb se fuera a Inglaterra y ella volviese a Plenty, Kree se despertó sola en la cama. Cuando abrió los ojos, vio la silueta de Seb en la oscuridad, frente a la ventana. Su inmovilidad hizo que se le encogiera el corazón. Supo entonces que había llegado el momento de despedirse.

«Aún no», pensó. «Aún quedan unas horas por delante. Unas horas que me niego a no aprovechar».

De modo que se levantó y lo abrazó por detrás, en silencio.

–¿No puedes dormir? –murmuró Seb con voz ronca.

–Yo iba a preguntarte lo mismo. ¿Qué haces, acostumbrarte al horario de Inglaterra?

–Algo así –contestó él, volviéndose para acariciar su pelo–. ¿Sabes una cosa? Pareces muy cómoda aquí. ¿Has conseguido conquistar tu aversión a esta casa?

–Nunca dije que no me gustase.

–Pero dijiste que te sentías intimidada.

–¿Estás intentando provocar una pelea, Sebastian Sinclair?

–¿Qué te parece mi casa? –insistió él.

–Yo cambiaría algunos muebles... y la pintaría de colores. Pero me encanta. ¿Cómo no va a gustarme? Lo que no me gustan son las estrellas.

–¿Qué estrellas?

–Las del cielo de Sidney. Aquí casi no se ven.

–¿Cómo que no? Mira, una estrella fugaz... cerca de Orión.

–¿Dónde? No la veo.

–Demasiado tarde. No tienes reflejos.

–No había ninguna estrella fugaz. Me estás tomando el pelo –sonrió Kree.

–Entonces no tendrás que preocuparte de que mi deseo se haga realidad.

–Muy bien –sonrió ella. Seb se sintió decepcionado. No le había preguntado cuál era el deseo– ¿Dónde está Orión?

Él señaló con la mano.

–Ahí. ¿Ves esa figura con forma de reloj de arena?

–No. Es que esa figura no me resulta muy familiar –rió Kree.

Seb la llevó de la mano a la terraza y la sentó sobre sus rodillas.

–¿Ves esas estrellas que están juntas?

–¿Cómo se llama esa que brilla tanto?

–Sirius. Y esa otra, la que está al lado, es Betelgeuse.

–Eres una cajita de sorpresas –murmuró Kree–. ¿Cómo es que sabes tanto sobre las estrellas?

–Porque crecí en el campo.

–¿En serio? ¿Y te gustaba la astronomía?

–Unas navidades me regalaron un telescopio. Entonces me aficioné.

–No te imagino horas y horas mirando las estrellas. Ni siquiera de niño.

–¿Cómo me imaginas de niño?

–Serio, centrado, listo. Uno de esos niños que siempre hacen los deberes y siempre llegan puntuales al colegio.

Seb sonrió.

–¿Y qué más?

–Te veo en una mansión inglesa con un padre banquero y una madre muy elegante. Ah, y unos hermanos que no te llegan ni a la suela del zapato. ¿Qué tal?

–Has acertado en todo, excepto en lo de los hermanos. No tengo.

–¿Eres hijo único?

Él no contestó enseguida y Kree se dio cuenta de que estaba tenso.

–Me criaron como hijo único.

–¿Eso significa que tuviste un hermano que murió?

–Significa que tenía hermanos... pero no sabía que existieran.

–¿Cómo es posible?

–Mis padres adoptivos no me lo dijeron hasta que cumplí los dieciocho años –suspiró Seb, sin mirarla.

–¿Y los has conocido? –preguntó Kree, acariciando su cara.

–Quería saber quién era, de dónde venía.

–¿Y encontraste a tus padres biológicos?

–Sí –contestó él, con una risa bronca–. Encontré a mi madre biológica y a un montón de hermanos que no quisieron saber nada de mí hasta que me hice rico.

–Y ahora sí te quieren, ¿no? ¿Es por eso por lo que te empeñas en mostrarte tan frío, tan controlador? ¿Por eso necesitas orden en tu vida, porque cuando encontraste a tu verdadera familia te sentiste perdido?

–No estoy en el sofá del psicólogo, Kree. No necesito una sesión de terapia.

–¿No? Yo creo que sí.

–Y yo creo que sé la terapia que necesito –sonrió Seb entonces, acariciándola entre las piernas.

«Sí, Seb, yo sé lo que quieres de mí», pensó Kree, mientras disfrutaba de las caricias de aquellos dedos sabios. «Pero, ¿es eso todo lo que necesitas?».

–A veces las personas no saben lo que quieren.

–Yo sé lo que quiero, Kree –murmuró él–. Y sé lo que tú quieres –añadió entonces, introduciendo un dedo y luego dos a la vez–. Y lo que necesitas.

–Eso no es lo que necesito –dijo ella con voz ronca.

–¿No?

–Te necesito dentro de mí –suspiró Kree–. Necesito que me quieras.

Dejó que le hiciera el amor con los dedos, frotándose contra su mano hasta que el orgasmo le obligó a cerrar los ojos, estremecida.

Unos segundos después, decidida, se colocó de frente, acariciándolo como la había acariciado él.

–Y tú necesitas que te quiera.

–Esto no es amor. Pero es lo que deseo y...

Aquella vez, fue Kree quien lo silenció con un beso. Sin dejar de tocarlo.

Él intentó abrir sus piernas, pero Kree no le dejó. Todo lo contrario; lo empujó sobre la tumbona, acariciando la punta de su miembro con un dedo.

–No, Seb. Ahora controlo yo. Deja que te quiera.

Y lenta, muy lentamente, besó todo su cuerpo, tocando cada centímetro de piel con una emoción que había mantenido guardada hasta aquel momento. Tocándolo con sus labios y con su lengua y, más profundamente, con su corazón. Tocando a aquel niño solitario y al hombre solitario y al disciplinado adulto que temía dejarse llevar.

Que temía ser amado.

–Deja que haga realidad ese sueño, Seb. Deja que te quiera.

Seb no había sentido nunca el placer que sintió cuando ella rozó su miembro con los labios. Sólo era deseo, se dijo a sí mismo. Nada más... pero empezó a perder el control cuando ella empezó a chuparlo...

–Sólo crees controlarme –dijo con voz ronca.

Pero ella se limitó a sonreír, a colocarse sobre él, rozando la punta de su miembro hasta que Seb no pudo más y se enterró en ella con una pasión que él mismo desconocía.

Kree había dejado de sonreír.

–No puedes controlarlo todo, Seb –dijo en voz baja–. No puedes controlarme a mí o cómo me siento. No puedes controlar esto que hay entre nosotros como no has podido controlar de dónde vienes o quién es tu familia o cuándo volverás a ver una estrella fugaz.

Seb no podía soportarlo más. Se colocó encima y siguió embistiéndola, con los dientes apretados para llevarla hasta las estrellas. Controlándose, controlándola.

Pero cuando Kree lo miró a los ojos murmurando que ella ya tenía su estrella, su amor, Seb sintió que caía en un precipicio. La pasión que lo envolvió fue tan potente que echó la cabeza hacia atrás y se derramó dentro de ella como una lluvia de meteoritos.

Después la llevó a la cama y la apretó contra su corazón.

–Puedo controlar quién soy, Kree. Y no pienso dejar que nada ni nadie me controle.

A la mañana siguiente, Seb no le pidió que se quedara, ni que lo llevase al aeropuerto. Y a Kree no le importó. Había tenido que hacer un esfuerzo sobrehumano durante el desayuno para no delatar lo que sentía y sólo quedaba subir a su coche y decirle adiós.

Podía hacerlo. Con una sonrisa, además. Dos semanas después volvería a verlo en Plenty, sus problemas económicos estarían resueltos y podría hablar con él sobre su relación.

Pero cuando lo vio allí, al lado de su Escarabajo naranja, con su traje de chaqueta, su expresión seria... se le hizo un nudo en la garganta.

Aquello no podía terminar, se dijo. Después de lo que había pasado por la noche, no podía terminar. Porque ahora entendía su necesidad de controlarlo todo. Ahora sabía que tenía mucho que ofrecerle. Y sabía también que Seb necesitaba su amor.

–Tengo que irme –murmuró–. Así podrás hacer la maleta tranquilamente.

–Si tienes algún problema con el banco, llámame.

–¿Al otro lado del mundo?

–También hay teléfonos en Inglaterra –sonrió él, sacando una tarjeta del bolsillo–. Y si no puedes localizarme, llama a Michael Bourne.

–¿Ese tal Michael sabe algo sobre mi crédito?

–Le ha echado un vistazo a la solicitud, sí.

Kree arrugó el ceño. ¿Por qué...? Pero antes de que pudiera preguntar, Seb puso algo en su mano.

–Michael se ha ido de vacaciones. Y en caso de que ocurriera algo, quiero que aceptes esto.

Kree miró el fajo de billetes, horrorizada.

–¿Dinero? ¿Quieres que acepte dinero?

–Sí, quiero que lo aceptes.

–No quiero tu dinero, Seb. ¿Es que aún no te has dado cuenta?

–Aún no te conozco bien del todo. No me lo pones fácil.

–¿No? Yo creo que te lo he puesto demasiado fácil.

–No estoy hablando de sexo.

–Entonces, ¿de qué estás hablando?

–De que es muy difícil darte algo. Puedo ayudarte, Kree. ¿Por qué no me dejas que lo haga?

–Porque crecí viviendo de la caridad –respondió ella–. Y ya no acepto caridad de nadie, Seb.

–Esto no es caridad. Es un... préstamo, si lo prefieres así.

–Ya te he dicho que no necesito dinero –insistió Kree–. Soy una mujer independiente. Con ciertos problemas económicos en este momento, sí. Pero pienso resolverlos en cuanto vuelva a Plenty.

–Yo sólo quiero hacerte feliz –murmuró él, acariciando la diminuta cicatriz que tenía en la ceja, un recuerdo de su infancia.

«Ah, Seb, ¿cuándo vas a aprender que no puedes controlar todo lo que hay a tu alrededor?».

–Yo no soy algo que puedas arreglar con un montón de billetes –murmuró Kree, poniéndose de puntillas para darle un beso–. Mi vida es algo que yo misma tengo que solucionar.

Pero mientras arrancaba el coche pensó que quizá, como el príncipe azul, podía curar las cicatrices de su corazón. Quizá si la quisiera, si la hiciera sentir tan especial como la noche anterior bajo las estrellas...

–Si necesitas ayuda, llámame o llama a Michael –insistió Seb–. ¿De acuerdo?

–De acuerdo. Dale un beso a Torie de mi parte. Y cuidado con esos «parientes» que sólo buscan tu dinero. Seguramente tampoco podrás solucionar sus vidas.

Él apretó los dientes.

–Nos vemos dentro de dos semanas –dijo, a modo de despedida.

Kree se negó a mirar por el espejo retrovisor. No quería ver aquella solitaria figura. No quería ver la enorme casa blanca donde había pasado tantas horas felices.

–Sí, Gizmo –suspiró, mirando la cesta del gato–. Sé que soy idiota, pero esta vez no pienso rendirme. Esta vez significa demasiado.

Capítulo Trece

–¿Seguro que sabes usarlo?

Kree dejó de escribir.

–Sí, Zane, sé usar un ordenador. ¿Seguro que tú no tienes nada mejor que hacer?

Cosas más importantes que mirarla por encima del hombro, por ejemplo, mientras ella esperaba que se cargase la página web del banco.

–No es nada complicado, Zane. Prometo no romper nada, de verdad. Y ahora, ve a comprobar que Bridie no se está comiendo las patas de las sillas.

Zane se alejó y cuando Kree se volvió hacia el monitor vio que la página se había cargado. Pero cuando comprobó el balance de su cuenta corriente, vio que había más dinero del que esperaba.

¿Cómo era posible? Comprobó entonces los movimientos y vio que, además del dinero del alquiler que Seb le había pagado, había una transferencia de cinco mil dólares.

Kree recordó entonces los billetes que él

había intentado poner en su mano cuando se despedían...

¿Por qué había hecho eso? ¿No le había dicho claramente que ni quería ni necesitaba su dinero?

«Si necesitas algo, llámame a mí o a Michael».

–Claro que voy a llamar, cariño. Me da igual la hora que sea en Inglaterra –murmuró, buscando su tarjeta en el bolso.

En el primero de los números saltó un contestador y el otro, escrito por detrás, era el número de Claire Heaslip.

¿De verdad quería hablar con su enemiga de la infancia?

No, mejor no, se dijo.

El último número era el de la mansión Huntingdon. ¿De verdad quería hablar con un mayordomo? Tampoco.

Entonces recordó a Michael Bourne. Quizá él sabría algo sobre esa transferencia. Seguramente, el propio Seb le había dado instrucciones...

Cinco minutos después dejaba escapar un suspiro de frustración. Michael Bourne no se había puesto en contacto con Seb y no sabía nada.

–Pero ya que me ha llamado, me gustaría preguntarle algo.

–Dígame.

–Estoy echándole un vistazo a la contabilidad del salón de belleza y hay varias facturas de una empresa... Suministros de Peluquería B.T. ¿Sabe usted algo de esto?

Kree arrugó el ceño. Tanto porque aquel extraño estaba mirando sus cuentas como porque no le sonaba el nombre de la empresa.

–¿Por qué le interesa?

–Porque esas facturas me dan mala espina. Parecen...

–Lo que quiero saber es por qué está revisando mi contabilidad –lo interrumpió Kree. El hombre no contestó–. ¿Está intentando probar algo contra Tina Dedini?

–Creo que debería hablar de esto con Seb.

–¡Y desde luego que lo haré! ¡En cuanto pueda encontrarlo! Mientras tanto, le ruego que deje de revisar mis libros. No tiene ningún derecho a hacerlo, yo no le he dado autorización.

–Pero estas facturas parecen falsas, señorita O'Sullivan...

–Me da igual. El salón de belleza es mío y no he pedido que lo investiguen.

Mientras volvía a casa, furiosa, se sentía traicionada. Le había dicho a Seb que no se metiera en su negocio, pero, igual que con el dinero, él hizo lo que le dio la gana.

No le había dicho una palabra, una sola palabra, sobre Michael Bourne y sus investigaciones.

Pero si Michael Bourne estaba en lo cierto, Tina la había estado engañando.

«Oh, Tina, Tina, Tina». Kree sacudió la cabeza, disgustada. Entendía la motivación de Tina porque todo el mundo en el pueblo sabía los problemas de dinero que tenía Paul Dedini a causa del juego.

Pero si la situación era tan desesperada, ¿por qué no le había pedido dinero? Ella se lo habría dado gustosa. ¿Y por qué había huido como una delincuente?

¿Y si Bourne había llamado a la policía?, se preguntó entonces. ¿Y si Tina, su amiga de la infancia, acababa en la cárcel? ¿Qué sería de los niños?

Cuando entró en el salón de belleza, Kree estaba enferma de nervios. De nuevo llamó a Seb y de nuevo saltó un contestador. Y otro en el número de Claire. Hasta que, por fin, consiguió escuchar una voz humana que se identificó como de lady Sinclair.

¿Su madre?

Todo lo que Kree había imaginado sobre Seb y su familia convergía en aquella voz helada.

–Sebastian ha salido a montar –dijo lady

Sinclair, de la mansión Huntingdon–. ¿Quién llama?

Kree se llevó una mano al corazón, intentando borrar la imagen de Sebastian persiguiendo a un pobre zorro.

–¿Tiene un bolígrafo, lady Huntingdon? Porque quiero dejar un mensaje para su hijo. Y es muy importante.

Kree tenía que hacer una llamada más. No dudó antes de marcar el número y cuando Tagg contestó no perdió el tiempo con explicaciones.

–Tengo que ponerme en contacto con Tina y he pensado que tú sabrías cómo localizar a Paul. Esto es muy importante, Tagg, así que no te hagas el remolón.

Debía haberlo dicho con auténtica urgencia porque su ex no dudó en darle el número.

Mientras lo marcaba, el corazón de Kree latía acelerado. ¿Qué iba a decirle? ¿Cómo iba a saber la verdad si no podía mirar a Tina a los ojos?

Entonces recordó el balance de su cuenta corriente. No los cinco mil dólares que Seb había ingresado sin decirle nada, sino el dinero del alquiler. Lo necesitaba para pagar las nóminas hasta que llegase el dinero del crédito, pero eso no le impidió que abortase la llamada. Para llamar a una agencia de viajes.

–Necesito un billete de avión a Queensland para este fin de semana.

Seb entró en el salón de belleza exactamente treinta y ocho horas después. No esperó a que Mae–Lin le preguntase qué quería, ni siquiera dejó la maleta en el suelo. Sencillamente, buscó a Kree con la mirada.

Estaba peinando a una clienta, sonriendo, como casi siempre...

Y cuando lo miró, Seb volvió a sentir lo que había sentido aquella noche, en su casa, cuando ella dijo: «tú también necesitas que te quiera». Con toda sinceridad, con toda honestidad.

–Vas a tener que esperar unos minutos –dijo Kree entonces, como si acabaran de verse, como si fuese cualquiera.

Como si no tuviera importancia para ella.

–He viajado durante veinticuatro horas después de leer el mensaje que dejaste. No pienso esperar ni un solo minuto.

–Yo puedo ponerle los rulos –se ofreció Mae–Lin, cortada, mientras las clientas observaban la escena.

–Vamos a la trastienda. La conversación va a ser corta –suspiró Kree.

Pero Seb no estaba dispuesto. Porque tenían muchas cosas que hablar. Para empezar, el crítpico mensaje. Y también su actitud. Y su futura relación.

Cuando entraron en la trastienda, dejó la maleta en el suelo y cerró la puerta. Tenía ganas de hablar con ella. Quizá porque desde aquella noche había tenido la sensación de que dejó algo por decir. Quizá porque actuó pensando que al día siguiente iba a ver a Claire, la mujer que le recordaría siempre por qué no quería volver a casarse. O porque iba a ver Torie, la persona más importante del mundo para él.

Porque iba a ver a su familia biológica y así recordaría por qué quería estar solo.

Pero lo único que hizo en Inglaterra fue echar a Kree de menos.

–Veo que te dieron mi mensaje –dijo Kree entonces, cruzándose de brazos.

–No tenía ningún sentido, pero sí. Me lo dieron.

–¿Qué parte de «retira el dinero de mi cuenta» no has entendido? ¿Y por qué no lo has retirado?

–Posiblemente porque no sabía de qué dinero hablabas. A menos que sea el dinero del alquiler y eso era lo convenido.

–No me refiero al dinero del alquiler, sino a los otros cinco mil dólares que...

–Yo no he te he hecho una transferencia de cinco mil dólares, Kree.

Ella lo miró, sorprendida.

–Pero si no has sido tú... ¿quién?

–¿Se te ha ocurrido llamar al banco? –preguntó él. Por su expresión, supo de inmediato que no lo había hecho. Pero fue la segunda parte del mensaje lo que lo hizo volver de Londres. Eso y la llamada de Michael Bourne–. Siento mucho que te hayas enterado...

–¡Ya me imagino!

–... de esa forma.

–¿Pensabas decirme que estabas investigando a mi amiga? ¿Cuándo?

–Un amigo no roba a otro amigo.

–Un amigo no investiga el negocio de otro amigo –replicó ella.

–¿Nosotros somos amigos, Kree? Porque no estás actuando de forma muy amistosa. Sobre todo, teniendo en cuenta lo que me ha costado llegar hasta aquí.

–Si esperabas un comité de bienvenida, te has equivocado de sitio.

–No entiendo por qué estás tan enfadada...

–¿No entiendes por qué estoy tan enfadada? ¿No te dije que dejases mi negocio en paz?

–Lo único que he hecho es encargarle a un profesional que echara un vistazo a tus problemas para que no volvieras a tener problemas económicos, Kree. Lo hice por ti...

–¿Por qué los hombres siempre creen que pueden arreglar las cosas?

–¿Y tú por qué siempre tienes que ser tan cabezota?

–¿Yo soy cabezota?

Con las manos en las caderas y la temperatura de la discusión subiendo por segundos, se miraron a los ojos.

–Mira, me marcho a Cairns esta tarde a ver a Tina. No tengo tiempo para esto.

–¿Qué vas a hacer?

–No lo sé. Hablar con ella –suspiró Kree.

–Deja que vaya contigo...

–No.

–Tengo contactos allí y...

–No, gracias. Ya me has ayudado más que suficiente.

–Kree... –empezó a decir él, intentando tocarla.

–No me toques, por favor. Si de verdad quieres ayudarme, dile a ese tal Michael que deje mis libros de contabilidad en paz. Me parece que no acepta mis órdenes.

Cuando terminó el quinto largo, Kree se agarró al borde de la piscina, sin aliento. Esta vez estaba nadando sola, no para hacerle compañía a Julia ni para castigarse... bueno, a lo mejor un poco. Por no reconocer la desesperación de Tina. Por no reconocer que era absurdo amar a Sebastian Sinclair.

En realidad, había ido a la piscina buscando el frescor del agua. Aunque casi no le quedaba energía después del viaje a Cairns.

Había vuelto dos horas antes y no quiso pasar por el salón de belleza. Ridículo, pero después de lo que Tina le había contado no tenía fuerzas ni para trabajar ni para dar explicaciones.

Cerrando los ojos, se quedó flotando un rato, pensativa. Oyó vagamente que alguien se tiraba al agua, pero no le prestó atención. Hasta que Seb apareció a su lado.

–Has vuelto –dijo él.

–Y tú no estás trabajando.

–¿Qué tal ha ido?

–Bien –contestó Kree–. Resulta que fue Tina quien hizo esa transferencia de cinco mil dólares. Paul había tenido suerte en el juego y quiso devolverme lo que se había llevado.

No hubo comentarios por parte de Seb, sólo la intensidad de su mirada.

–El resto me lo pagará a plazos.

–¿Cuando Paul vuelva a tener suerte en el juego?

–Cuando ella encuentre trabajo.

–¿Otro trabajo en el que hará lo mismo? –insistió él.

–¡No va a hacer lo mismo! –exclamó Kree, irritada por su actitud–. Sencillamente tenía problemas de dinero porque está casada con un ludópata y tenía que mantener a su familia.

–Y por eso falsificó unas facturas. ¿Qué más ha hecho, Kree? ¿Qué no ha descubierto Michael?

–Eso es todo...

–¿Y lo de llevarse dinero de la caja, lo de aumentar los precios cuando le convenía? ¿No te molesta que te haya estado robando durante años? ¿Que seguramente te habrá robado miles de dólares?

–Me da igual el dinero, Seb.

–¿No te duele que haya puesto en peligro tu negocio?

–Sí, pero también me importa Tina.

–¿Y no piensas denunciarla?

–Claro que no. Ella no es una ladrona,

sólo una mujer con problemas... Tiene tres hijos, Seb. Tres y todos menores de seis años. ¿Qué les pasaría si Tina fuera a la cárcel?

–No creo que la condenasen.

–Pero podría pasar y yo sé lo que es eso. Sé el estigma que te deja para siempre. Conozco los insultos y la falta de respeto... Y lo peor, lo más doloroso de todo, es que cuando te insultan igual tienen razón. Igual es que tú no eres tan buena como ellos.

Kree cerró los ojos y maldijo en silencio por haber hablado demasiado. No quería contarle la historia de su vida...

–¿Crees que debería enviar a Tina a la cárcel? ¿Crees que podría respetarme a mí misma después de eso?

–Lo que creo es que eres ingenua por pensar que Tina va a devolverte el dinero.

Kree negó con la cabeza. No lo entendía. No lo entendería nunca.

–Eso es cosa mía.

–¿Y si yo quiero ayudarte?

Ella rió suavemente. Era de esperar. Cuando Seb se acercó sintió el roce de su brazo y volvió a sentir lo que sintió aquella noche, en su casa. Nunca se había sentido tan fuerte y tan vulnerable a la vez como cuando hizo el amor con él, cuando se abrió para él y él le recordó la mujer que deseaba ser, no la niña pobre, no la falsa chica alegre, sino simplemente Kree. Lo que siempre había querido ser.

–¿Qué me estás preguntando, Seb? ¿Qué es lo que quieres?

Él rozó sus labios con un dedo.

–A ti, Kree. Te quiero a ti y quiero recuperar esos días en Sidney.

Cómo lo deseaba. Cómo desearía poder decirle que sí, pensó Kree.

–¿Para pasarlo bien? ¿Para divertirnos? Lo siento, Seb, pero no es eso lo que quiero.

Capítulo Catorce

Tres semanas después, Kree colgaba el cartel de *Liquidación* en la puerta del salón de belleza. Tenía los ojos sorprendentemente secos y el estómago sólo levemente alterado, mucho menos que los días anteriores. Aparentemente, ese era uno de los efectos secundarios de los últimos dos meses, después de conocer y enamorarse de Sebastian Sinclair. Había otros efectos, algunos positivos, como por ejemplo la razón por la que estaba colgando ese cartel en la puerta.

Se había dado cuenta de que su identidad y su felicidad no tenían nada que ver con el éxito o el fracaso de su negocio. Eso no cambiaba lo que ella era o lo que pensaba de sí misma. Eso estaba en su corazón triunfase o no profesionalmente.

De modo que había llegado el momento de marcharse y empezar de nuevo. De irse de Plenty, un pueblo que representaba el pasado que no quería recordar.

Sabía que marcharse no sería fácil. Zane y

Julia no lo entendían, ya que había recibido el crédito y, con un poco de control, volvería a poner en orden su economía. Al menos, eso era lo que decía el plan de Seb. Pero ese tipo de control no era para ella.

Cuando sonó su móvil, Kree se sobresaltó. ¿Hasta cuándo iba a pasarle eso?, pensó, enfadada consigo misma. Cuando vio el nombre de Seb en la pantalla se dijo a sí misma que no debía contestar. Pero no era tan fuerte.

–¿Dígame?

–Hola, soy Torie.

Se llevó una desilusión, pero le alegraba recibir esa llamada.

–Espero que estés en casa y no gastándote una fortuna desde Londres.

–Llevo dos días en Sidney. Me habría gustado llamarte desde Inglaterra, pero no me dejaron. Barnaby es tan estricto que no te lo podrías creer. Es peor que mi padre.

–¿Cómo está tu padre? –preguntó Kree, sin poder evitarlo.

–Igual que siempre.

Ella contuvo un suspiro. Ojalá pudiera ver sus ojos, la sonrisa que raras veces iluminaba su cara...

–¿Kree? ¿Sigues ahí?

–Ah, perdona. ¿Qué decías?

–Le he preguntado si podía ir a verte antes de empezar el colegio y me ha dicho que tendría que preguntarte a ti. ¿Puedo ir, Kree?

–Sí, bueno, verás... es que he cerrado el salón de belleza. La buena noticia es que tengo una entrevista en una de las mejores peluquerías de Australia.

–¿En serio?

–Si tengo suerte, verás mis peinados en la revista *Vogue.*

–¿Puedo ir a verte?

–Si me dan el trabajo... La entrevista es la semana que viene, así que podríamos tomar un café o algo.

–¿Dónde nos encontramos? –exclamó Torie, entusiasmada.

Kree seguía sonriendo cuando guardó el móvil en el bolso, aunque le dolía en el alma saber que su amistad con aquella cría no podría continuar. Ni siquiera debería haber aceptado quedar con ella.

Pero sólo era un café, se dijo. Y una oportunidad de despedirse en persona. Porque lo único que no le había dicho a Torie era que la peluquería en la que iba a trabajar no estaba en Sidney sino en Melbourne.

Torie llegaba tarde. Media hora tarde, comprobó Seb mirando el reloj cuando la vio entrar por la puerta de la oficina.

–Lo siento, papaíto. Es que se me fue el tiempo sin darme cuenta.

Seb la miró, suspicaz. Sólo lo llamaba papaíto cuando quería algo o cuando tenía un problema.

–¿Dónde están las bolsas? Pensé que habías ido de compras.

Ella se encogió de hombros.

–Es que no he encontrado nada que me gustase.

Seb dejó escapar un suspiro.

–Puedes contármelo, cariño. Sabes que me enteraré tarde o temprano.

–¿Enterarte de qué?

–Del nombre de tu novio.

Torie soltó una carcajada.

–¿Eso es lo que piensas, que salgo con un chico? Qué va, había quedado con... –su hija no terminó la frase. Acababa de meter la pata.

–¿No habías ido de compras?

–No te enfades, no es nada malo. Pero como me dijiste que no volviera a mencionar a ya sabes quién...

Seb apretó los dientes.

–¿Cuándo he dicho yo eso?

–La noche que volvimos a casa. Me dijiste que...

–Lo recuerdo –la interrumpió él. No quería recordar, no quería pensar en Kree.

–Pero ya que estamos hablando del asunto, ¿cómo no me habías dicho que iba a cerrar el salón de belleza?

–¿Cómo?

–Que lo ha cerrado. Por eso está en Sidney. Ha venido para una entrevista de trabajo.

–No lo sabía –murmuró él.

–Lo que pasa es que a lo mejor tiene que trabajar en Melbourne...

–¿Está en Sidney ahora?

Su hija se encogió de hombros.

–Supongo que ahora mismo estará volviendo a Plenty. Ha dicho que tenía que hacer la maleta.

Seb esperó veinticuatro horas. Mala idea, porque cuando llegó a Plenty estaba echando humo. ¿Qué demonios le pasaba a aquella mujer? Tanto hablar de lo importante que era para ella el salón de belleza, cómo lo había levantado sola... ¿para luego dejarlo?

Cuando vio que la puerta de su casa estaba abierta masculló una palabrota. Le había advertido que era peligroso y, naturalmente, Kree no le hizo ni caso.

La encontró en su dormitorio y, a pesar de que la luz del sol daba directamente sobre su pelo, le pareció... otra Kree. Casi una pálida imitación de la Kree que él recordaba.

Pero eso no detuvo los frenéticos latidos de su corazón. La echaba tanto de menos...

Gizmo se acercó a él, maullando a modo de saludo, pero Kree no se volvió.

–Deja de protestar o tendré que dejarte aquí.

Seb sonrió al oír su voz.

–Hola.

Ella se volvió entonces, sobresaltada.

–¿Qué haces aquí?

–¿Por qué sigues dejando la puerta abierta? ¿Cómo vas a sobrevivir en una gran ciudad, Kree? Necesitas un guardián.

–Supongo que Torie te lo ha contado.

–¿Qué ha pasado, Kree? ¿El banco no te dio el crédito?

–No, es que decidí que no quería seguir pagando un crédito para mantenerme a flote. Pero no pasa nada, he encontrado un buen trabajo en la mejor peluquería del país.

–¿Desde cuándo te importa el dinero?

–No es por el dinero. He decidido empezar de nuevo en otra parte, en algún sitio donde nadie me conozca.

–¿Donde la gente no sepa lo buena que eres haciendo tu trabajo? Eso tiene aún menos sentido.

–¿Qué quieres, Seb? ¿Qué haces aquí? –suspiró ella entonces.

–¿Es así como pretendes borrar el pasado? ¿Crees que huyendo solucionarás algo? ¿Dejando atrás a tu familia y a tus amigos?

–No estoy huyendo –replicó Kree–. Sólo quiero saber quién soy. Y ni siquiera sé por qué contesto a tus preguntas.

–¿Qué hay de malo en quién eres?

–Eso es lo que quiero averiguar.

–No te entiendo.

–Claro que no –suspiró ella–. Porque no me conoces.

–Te conozco mejor de lo que crees –dijo Seb, acercándose–. Sé que eres inteligente, divertida... y que haces que la gente se sienta bien a tu lado. Sé que tuviste una infancia miserable y que has trabajado toda tu vida para olvidarlo. Te gusta limpiar y quieres limpiarlo todo porque tu niñez fue muy dolorosa –añadió, acariciando su pelo–. Sé que eres muchas cosas, Kree O'Sullivan, pero acaba de descubrir por qué.

–No ha cambiado nada, Seb. Ya me has dicho que me deseas.

–Pero no te he dicho que te quiero.

–No me quieres –suspiró ella, cerrando los ojos–. Sólo quieres hacerme feliz, hacerme olvidar mi infancia.

–Eso también.

–¿Sí? Pruébalo.

No sabía por qué había dicho eso y deseó rectificar inmediatamente.

–Déjalo...

Pero cuando intentó darse la vuelta, Seb la agarró del brazo.

–¿Qué tiene Plenty? En Sidney te portas como un caballero, pero cada vez que vienes aquí me agarras y me...

«Me besas».

Al principio Seb la besó como para hacerla callar, pero después el beso se convirtió en una caricia llena de ternura.

–¿Qué estás haciendo?

–Intentando demostrarte que te quiero, aunque no sé cómo. No quieres aceptar nada de lo que te ofrezco, no aceptas mi palabra... Estoy intentando mostrarte lo que siento por ti. Y lo que tú me haces sentir.

–¿Cómo te hago sentir? –preguntó Kree, con el corazón en la garganta.

–Me haces sentir vivo –contestó Seb, mirándola a los ojos.

–Dijiste que te volvía loco.

–Por supuesto. Y no haber podido besarte durante estos días me ha vuelto loco del todo –dijo él, tomando su cara entre las manos–. He echado de menos tu risa y el brillo de tus ojos. He echado de menos tus retos, tus provocaciones...

–Intentaré no provocarte demasiado.

–No, por favor. Me gusta que lo hagas. Admito que me asusta, pero tú eres lo único en mi vida que no quiero controlar.

Y entonces vio un brillo de aceptación en los ojos azul cielo. Supo entonces que Kree sabía que la amaba.

–Y en cuanto al salón de belleza...

–No sé si quiero mantenerlo.

–Muy bien. Te lo compraré.

–¿Estás pensando en cambiar de profesión?

–No, es que quiero regalárselo a mi mujer. No se le da bien aceptar regalos, pero tendrá que acostumbrarse.

Kree lo miró a los ojos.

–Espero que no estés jugando conmigo.

–No –contestó él, muy serio.

–Dijiste que no querías volver a casarte nunca.

–Contigo sí. Quiero estar contigo y esa es la única forma de probártelo.

Ella lo miró, perpleja.

–Pero bueno... lo dices como si yo te hubiera chantajeado o te hubiera forzado a...

Seb la besó. Para hacerla callar.

–Esto es lo que pienso hacer cada vez que digas una tontería.

Kree soltó una carcajada.

–En cuanto a mi salón...

–Es un regalo de boda. Sólo lo conseguirás si me dices que sí.

–Muy bien, pero debo advertirte que no pienso seguir ningún plan de pagos.

–Tendrás que hacerlo. Pero si eres buena conmigo, yo mismo llevaré la contabilidad.

–Podríamos llegar a un acuerdo –sonrió Kree, traviesa–. ¿Quieres que empecemos a negociar ahora mismo?

–Kree, ¿qué voy a hacer contigo? –rió Seb.

–¿Qué te gustaría hacer?

–Me gustaría pasar el resto de mi vida viéndote sonreír. ¿Quieres casarte conmigo, Kree? ¿Quieres hacerme sonreír?

–Sí, Seb. Sí quiero.

Acepte 2 de nuestras mejores novelas de amor GRATIS

¡Y reciba un regalo sorpresa!

Oferta especial de tiempo limitado

Rellene el cupón y envíelo a

Harlequin Reader Service®
3010 Walden Ave.
P.O. Box 1867
Buffalo, N.Y. 14240-1867

¡Si! Por favor, envíenme 2 novelas de amor de Harlequin (1 Bianca® y 1 Deseo®) gratis, más el regalo sorpresa. Luego remítanme 4 novelas nuevas todos los meses, las cuales recibiré mucho antes de que aparezcan en librerías, y factúrenme al bajo precio de $3,24 cada una, más $0,25 por envío e impuesto de ventas, si corresponde*. Este es el precio total, y es un ahorro de casi el 20% sobre el precio de portada. !Una oferta excelente! Entiendo que el hecho de aceptar estos libros y el regalo no me obliga en forma alguna a la compra de libros adicionales. Y también que puedo devolver cualquier envío y cancelar en cualquier momento. Aún si decido no comprar ningún otro libro de Harlequin, los 2 libros gratis y el regalo sorpresa son míos para siempre.

416 LBN DU7N

Nombre y apellido (Por favor, letra de molde)

Dirección Apartamento No.

Ciudad Estado Zona postal

Esta oferta se limita a un pedido por hogar y no está disponible para los subscriptores actuales de Deseo® y Bianca®.
*Los términos y precios quedan sujetos a cambios sin aviso previo.
Impuestos de ventas aplican en N.Y.

SPN-03 ©2003 Harlequin Enterprises Limited

Deseo®...
Donde Vive la Pasión

¡Los títulos de Harlequin Deseo® te harán vibrar!

¡Pídelos ya! Y recibe un descuento especial por la orden de dos o más títulos

HD#35327	UN PEQUEÑO SECRETO	$3.50	☐
HD#35329	CUESTIÓN DE SUERTE	$3.50	☐
HD#35331	AMAR A ESCONDIDAS	$3.50	☐
HD#35334	CUATRO HOMBRES Y UNA DAMA	$3.50	☐
HD#35336	UN PLAN PERFECTO	$3.50	☐

(cantidades disponibles limitadas en algunos títulos)

CANTIDAD TOTAL **$** ________

DESCUENTO: 10% PARA 2 Ó MÁS TÍTULOS **$** ________

GASTOS DE CORREOS Y MANIPULACIÓN **$** ________

(1$ por 1 libro, 50 centavos por cada libro adicional)

IMPUESTOS* **$** ________

TOTAL A PAGAR **$** ________

(Cheque o money order—rogamos no enviar dinero en efectivo)

Para hacer el pedido, rellene y envíe este impreso con su nombre, dirección y zip code junto con un cheque o money order por el importe total arriba mencionado, a nombre de Harlequin Deseo, 3010 Walden Avenue, P.O. Box 9077, Buffalo, NY 14269-9047.

Nombre: ____________________

Dirección: ____________________ Ciudad: ____________

Estado: ____________________ Zip Code: ____________

Nº de cuenta (si fuera necesario):____________________

*Los residentes en Nueva York deben añadir los impuestos locales.

Harlequin Deseo®

CBDE

Desea®

UN ASUNTO DEL CORAZÓN

Katherine Garbera

Con sólo oír la campanada de medianoche, CJ Terrence recordó
ue a pesar del vestido de alta costura, seguía siendo la vulgar estu-
iante deseosa de creer en cuentos de hadas. Años atrás, el empre-
ario de cuyo negocio dependía la carrera de CJ se había hecho
migo suyo y después la había traicionado. Pero ahora acudía en
usca de su perdón... y de sus besos.
J deseaba sus besos y sus caricias... como siempre lo había hecho.
algo le decía que una extraña hada madrina le había dado una se-
unda oportunidad...

¿Podría aquel romance navideño convertirse en algo duradero para Cenicienta?

¡YA EN TU PUNTO DE VENTA!

BIANCA®

Aquel seductor le había puesto precio...

El millonario César Montárez deseó a Rosalind nada más verla; aquella atracción no se parecía a nada que hubiera sentido jamás. Pero César no respetaba demasiado a las mujeres sedientas de dinero como ella, como mucho podría convertirla en su amante. Eso era algo que Rosalind jamás aceptaría. Entonces, César descubrió que ella tenía ciertas deudas y pensó que ahora podría comprarla. Rosalind no podía hacer otra cosa que aceptar el precio.

CORAZONE
EN DEUD

Julia Jame

¡YA EN TU PUNTO DE VENTA!